CE LIVRE APPARTIENT À

Colle ici ta photo

unicef

En association avec
le Fonds des Nations Unies pour l'enfance

Des enfants comme moi

par
Barnabas et Anabel Kindersley

Traduction de
Rosine Feferman, Olivier Le Goff,
Guilhem Lesaffre, Florence Meyeres
et Christine Monnatte

GALLIMARD JEUNESSE

Sommaire

Préface de Daniel Pennac 5
Les enfants du monde 6

Les Amériques 8
Oscar de Bolivie 10
Carlitos de l'Argentine 12
Celina du Brésil 14
Omar du Mexique 16
Les États-Unis 18-22
Carlos du Nouveau-Mexique 18
Nicole de Californie 19
Taylor de New York 20
Taryn de l'Illinois 21
Gabriel de l'Alaska 22
Levi du Canada 23

L'Europe 24
Ari de Finlande 26
Mónika de Hongrie 27
Bogna de Pologne 28
Olia de Russie 30
Rachel de France 32
Yannis de Grèce 33

L'Afrique 34
Mohammed de l'Égypte 36
Bakang du Botswana 37
Aseye du Ghana 38

40 Houda du Maroc
42 Esta de Tanzanie
44 Tadesse de l'Éthiopie

46 L'Asie
48 Guo Shuang de Chine
50 Erdene de Mongolie
52 Daisuke du Japon
54 Yong-Koo et Ji-Koo
    de Corée du Sud
56-59 L'Inde
56 Meena du Rajasthan
58 Sarala du Tamil Nadu
60 Michaël d'Israël
62 Sabah de Jordanie

**64 L'Asie du Sud-Est
et l'Australasie**
66 Thi Liên du Viêt-nam
68 Suchart de Thaïlande
70 Edgar des Philippines
72 Subaedah de l'Indonésie
74 Ngawaiata de Nouvelle-Zélande
76 Rosita de l'Australie

78 Le journal de voyage
    de Barnabas et Anabel
80 Index

Écrit par Sue Copsey
Directeur artistique : Jane Bull. Assistant de l'éditeur : Francesca Stich
Fabrication : Catherine Semark. Iconographe : Fiona Watson
Adjoint du responsable éditorial : Sophie Mitchel. Directeur artistique adjoint : Miranda Kennedy

Copyright © 1995 Dorling Kindersley Limited, London
Titre original : *Children just like me*
Le détail des droits reversés à l'Unicef sur la vente de ce livre peut être obtenu en écrivant aux éditions
Gallimard Jeunesse 5, rue Sébastien-Bottin 75328 Paris Cedex 07
Maquette de couverture : Ludovic Dufour
Photogravure de couverture : Scan+

Pour l'édition française
ISBN 978-2-07-061366-3
Copyright © 1996-2007 Éditions Gallimard Jeunesse, Paris
Loi n°49-956 du 16 juillet 1949
sur les publications destinées à la jeunesse
Dépôt légal : septembre 2007
Numéro d'édition : 150627

Imprimé et relié par L-Rex à Hong Kong, Chine

Préface

N'ayez pas peur des autres.

La peur de l'homme, c'est l'ignorance de l'autre.

Drôle d'ignorance…

On nous l'enseigne depuis toujours.

*« L'autre est différent ! Méfiez-vous des différences de l'autre ! Ces gens-là
n'ont pas la même couleur, pas la même religion, pas les mêmes coutumes,
pas les mêmes mœurs, pas les mêmes opinions, pas les mêmes goûts, pas
la même sensibilité que nous… Ils sont différents ! tellement différents !
Pas du même pays, pas de la même région, pas de la même ville,
pas du même quartier, pas de la même rue, pas du même immeuble,
pas de la même famille… »*

Cette volonté d'ignorance…

Qui nous bouche les yeux et le cœur…

Qui nous fait si peureux…

Si orgueilleux…

Si solitaires…

Et donc si dangereux les uns pour les autres.

Quelle misère !

Ouvrez vos yeux, vos oreilles, vos esprits, vos cœurs ! Soyez curieux de l'autre !

Grandissez avec cette curiosité ! Car ce qui sauvera l'homme de l'homme,

c'est la connaissance de l'homme !

Cet homme si différent, et si pareil à moi.

Pennac

—

Daniel Pennac

Qu'est-ce que l'Unicef ?

Créé le 11 décembre 1946 par l'Assemblée générale de l'ONU, l'Unicef (abréviation de l'anglais :
United Nations Children's Emergency Fund) œuvre actuellement dans plus de 140 pays.
Le Fonds apporte son aide aux enfants les plus défavorisés grâce
à des programmes spéciaux visant à améliorer leur santé, leur éducation
et leur alimentation, en veillant tout particulièrement à leur apporter une eau pure et potable.
L'Unicef assiste aussi les enfants victimes des guerres et de toutes les catastrophes.

Les enfants du monde

Des régions arctiques à l'équateur, de l'Amérique du Sud à l'Asie du Sud-Est, les enfants du monde entier ont les mêmes occupations. Ils adorent jouer à la balle ou à cache-cache et aller à l'école. La guerre leur fait peur et ils souhaitent la paix. Ils s'inquiètent pour l'environnement et pensent que les adultes sont en train de le détruire. Dans ce livre, tu vas rencontrer des enfants aux modes de vie très différents selon qu'ils habitent des villages ou des mégapoles, des pays glacés et enneigés ou des pays chauds et humides sous les tropiques. Ils te racontent leur vie quotidienne, leurs espoirs et leurs craintes. Tu découvriras alors tout ce que ces enfants ont en commun… avec toi !

Levi est canadien.

Gabriel vient d'Alaska.

Taryn habite dans l'Illinois.

Celina vit au Brésil.

Oscar est bolivien.

Taylor habite New York.

Nicole vit en Californie.

Omar est mexicain.

Carlos habite le Nouveau-Mexique.

Carlitos est argentin.

Michaël vit en Israël.

Mohammed est égyptien.

Sabah vit en Jordanie.

Houda est marocaine.

Bakang vit au Botswana.

Tadesse est éthiopienne.

Rachel vit
en France.

Ari habite
la Finlande.

Yannis vit
en Grèce.

Mónika est
hongroise.

Bogna habite
la Pologne.

Olia vit
en Russie.

Daisuke est
japonais.

Guo Shuang
réside en Chine.

Erdene
vient de
Mongolie.

Suchart habite
en Thaïlande.

Thi Liên vit
au Viêt-nam.

Edgar est
philippin.

Subaedah est
indonésienne.

Aseye habite
le Ghana.

Esta vit en
Tanzanie.

Meena est
indienne.

Sarala vit
en Inde.

Yong-Koo et Ji-Koo viennent
de la Corée du Sud.

Ngawaiata vit en
Nouvelle-Zélande.

Rosita habite
l'Australie.

ASIE

EUROPE

Finlande

Russie

Pologne

Hongrie

France

Grèce

Maroc

Israël

Égypte

Jordanie

Inde

Mongolie

Japon

Chine

Corée
du Sud

Viêt-nam

Thaïlande

Philippines

Éthiopie

Indonésie

Ghana

Tanzanie

Botswana

Australie

Nouvelle-Zélande

Les Amériques

Billets de banque boliviens

Piments mexicains

Alaska
Canada
AMÉRIQUE DU NORD
États-Unis d'Amérique
Les Rocheuses
Californie
Nouveau-Mexique
Mexique
AMÉRIQUE CENTRALE
Terre de Baffin
New York
Illinois
Le fleuve Amazone
AMÉRIQUE DU SUD
Les Rocheuses et les Andes forment ensemble la plus longue chaîne montagneuse du monde.
Bolivie
Les Andes
Argentine
Brésil
Cap Horn

L'Amérique du Nord et l'Amérique du Sud forment un continent s'étendant de l'Arctique canadien jusqu'au cap Horn. Le Canada, les États-Unis et le Mexique forment l'Amérique du Nord. Il y a sept pays en Amérique centrale et treize en Amérique du Sud. Le long de la côte ouest du continent court la plus longue chaîne montagneuse du monde composée par les Rocheuses et les Andes. La forêt tropicale humide couvre une bonne partie de l'Amérique centrale et de l'Amérique du Sud.

Jupe brésilienne

Ce séquoia californien est âgé de 3 000 ans.

LES POPULATIONS DU CONTINENT AMÉRICAIN

Les premiers habitants qui s'établirent sur le continent américain furent les Indiens. Aujourd'hui, la majorité de la population descend des immigrés européens et africains qui arrivèrent en Amérique tout au long des trois cents dernières années. Les enfants dont on va parler dans ce chapitre viennent du Canada, des États-Unis, du Mexique, du Brésil, de Bolivie et d'Argentine.

UN DÉSERT DE MONUMENTS

Dans le sud-ouest des États-Unis, on trouve de grandes zones désertiques. Ces formations rocheuses de la Monument Valley (Vallée des monuments) en Arizona ont été sculptées par le vent sec du désert.

LES ROCHEUSES

Elles bordent la côte ouest du Canada et des États-Unis. Les sommets les plus élevés dépassent 4 300 m.

ÉTONNANTE AMAZONIE

La forêt tropicale humide d'Amazonie est la plus grande forêt de ce type au monde. L'énorme quantité de pluie qui y tombe s'écoule dans l'Amazone, le plus long fleuve du monde. La moitié de toutes les espèces végétales et animales connues réside dans la forêt tropicale humide d'Amazonie.

VISAGES DES AMÉRIQUES

Ces enfants viennent de tous les coins du continent américain.

Andrés, neuf ans (et le perroquet Pipin) vient du Mexique.

Gabriel, neuf ans et Jamie, sept ans, viennent de l'Alaska aux États-Unis.

Erin, huit ans, habite en Californie aux États-Unis.

Antonio, huit ans, vit au Mexique.

Teresita, sept ans, vient du Mexique.

Sergio, sept ans, est bolivien.

ENFANTS DES AMÉRIQUES

Voici les enfants que tu vas rencontrer. Ils vivent en Bolivie, en Argentine, au Brésil, au Mexique, aux États-Unis et au Canada.

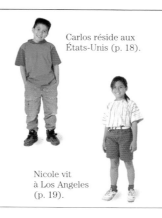

Oscar vient de Bolivie (p. 10-11).

Celina habite au Brésil (p. 14-15).

Carlos réside aux États-Unis (p. 18).

Taylor demeure à New York (p. 20).

Gabriel vient d'Alaska (p. 22).

Carlitos est argentin (p. 12-13).

Omar habite au Mexique (p. 16-17).

Nicole vit à Los Angeles (p. 19).

Taryn réside dans l'Illinois (p. 21).

Levi vit dans le Grand Nord canadien (p. 23).

DE GRANDES CIVILISATIONS

Avant l'arrivée des Européens en Amérique centrale et en Amérique du Sud, ces régions étaient gouvernées par des peuples indiens et, parmi eux, les Incas d'Amérique du Sud et les Mayas d'Amérique centrale. Ces civilisations « précolombiennes » ont construit de grandes cités comme Machu Pichu, au Pérou (à gauche).

Des alligators se tapissent dans les marais humides du sud-est des États-Unis.

Les Mayas ont bâti des temples et des palais de pierre immenses en forme de pyramides. Celle-ci porte le nom de Pyramide des Niches et se trouve au Mexique.

L'HEURE DU CARNAVAL !

Rio de Janeiro, au Brésil, est célèbre pour son carnaval au mois de février (à droite) : les gens s'habillent avec des costumes pleins de couleurs et dansent dans les rues.

Vase d'un village indien, un « pueblo », du sud-ouest des États-Unis

Car de ramassage scolaire aux États-Unis

Gant et balle de base-ball, États-Unis

DES CITÉS SPECTACULAIRES

Aux États-Unis, durant les trois cents dernières années, des cités comme San Francisco (à droite) et New York qui étaient au départ de petits hameaux se sont transformées en villes comptant parmi les plus grandes et les plus spectaculaires du monde.

Cindy, neuf ans, vient du Mexique.

Lidia, dix ans, (et son agneau) vit en Bolivie.

Matthew, six ans, vient de New York.

Cassia, dix ans, réside au Brésil.

Jane, huit ans, habite New York.

Melissa, huit ans, demeure en Californie.

Sita, huit ans, vit à New York.

Oscar

Oscar Macias Gutierrez a neuf ans et vit en altitude dans la cordillère des Andes, en Bolivie, en Amérique du Sud. Oscar est un Indien aymara. Sa famille vit dans un village qui se trouve sur les bords de l'un des plus hauts lacs du monde, le lac Titicaca, 3 812 m d'altitude. La mère d'Oscar est agricultrice ; Oscar, sa sœur, Lourdes, et son frère, Efrain, l'aident à faire la récolte et à soigner les animaux. Le père d'Oscar est mort, mais son oncle, qui habite tout près, s'occupe de la famille.

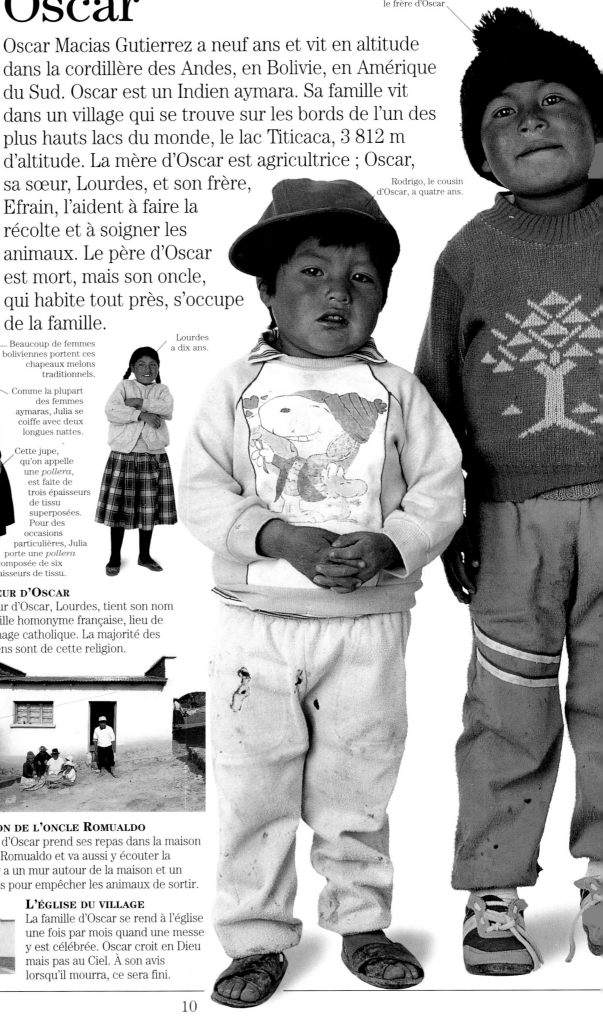

Voici Efrain, le frère d'Oscar

Rodrigo, le cousin d'Oscar, a quatre ans.

L'ALTIPLANO

Le village d'Oscar, Ajllata Grande, est situé sur un haut plateau bolivien appelé l'Altiplano, ce qui signifie « haute plaine ». La ville la plus proche du village d'Oscar est La Paz (ci-dessus), capitale de la Bolivie, et se trouve environ à 4 000 m au-dessus du niveau de la mer. L'Altiplano est entouré par la cordillère des Andes qui culmine à près de 7 000 m (l'Aconcaqua).

Romualdo, l'oncle d'Oscar

Julia, la mère d'Oscar

Beaucoup de femmes boliviennes portent ces chapeaux melons traditionnels.

Comme la plupart des femmes aymaras, Julia se coiffe avec deux longues nattes.

Lourdes a dix ans.

Cette jupe, qu'on appelle une *pollera*, est faite de trois épaisseurs de tissu superposées. Pour des occasions particulières, Julia porte une *pollera* composée de six épaisseurs de tissu.

LA FAMILLE D'OSCAR

La mère d'Oscar, Julia, cultive la terre et s'occupe de la maison. Oscar l'appelle « Mama ». Oscar a deux frères, Efrain et Ruben, et une sœur, Lourdes. Efrain a sept ans et Ruben, devenu adulte, vit à La Paz. L'oncle et la tante d'Oscar, Romualdo et Basilia, habitent avec leurs six enfants juste en face de la maison d'Oscar. Les deux familles prennent leurs repas en commun et travaillent ensemble dans les champs.

LA SŒUR D'OSCAR

La sœur d'Oscar, Lourdes, tient son nom de la ville homonyme française, lieu de pèlerinage catholique. La majorité des Boliviens sont de cette religion.

LA MAISON DE L'ONCLE ROMUALDO

La famille d'Oscar prend ses repas dans la maison de l'oncle Romualdo et va aussi y écouter la radio. Il y a un mur autour de la maison et un enclos pour empêcher les animaux de sortir.

L'ÉGLISE DU VILLAGE

La famille d'Oscar se rend à l'église une fois par mois quand une messe y est célébrée. Oscar croit en Dieu mais pas au Ciel. À son avis lorsqu'il mourra, ce sera fini.

Le bonnet en laine d'Oscar s'appelle un *lluchu*.

« Il fait chaud aujourd'hui, c'est pourquoi je porte un T-shirt. Lorsqu'il fait froid, je mets des vêtements en laine. Il ne fait jamais vraiment chaud ici, mais j'aime le climat tel qu'il est. »

Oscar

❝ *Quand je serai grand, je veux être footballeur. Le football est mon sport préféré ; j'y joue après l'école avec Efrain. Nous avons regardé la Coupe du monde à la télévision. C'était palpitant. J'aime aussi manger certains plats, être dehors avec les animaux et ramasser les pommes de terre. J'aide Mama à sarcler les pommes de terre et à soigner les animaux. Mes préférés sont nos lapins.* ❞

FOU DE FOOT
Sur son cahier d'écolier, Oscar a fait ce dessin représentant un garçon jouant au football. C'est le sport le plus populaire en Amérique du Sud.

Oscar apprend à écrire l'espagnol et l'aymara qui sont les langues principales de la Bolivie. À la maison, la famille parle aymara.

« Je dors dans la même chambre que Efrain. Je n'aime pas la maison pendant la nuit parce qu'elle est hantée. »

À L'ÉCOLE EN BICYCLETTE
Oscar va à vélo à l'Escuela Ajllata Grande. Il apprend les mathématiques, qu'il trouve difficiles, l'espagnol, l'aymara et les sciences naturelles. Ce qu'Oscar préfère, c'est sa maîtresse.

L'AUTOBUS MINIATURE D'OSCAR
Oscar aime jouer avec son autobus miniature ainsi qu'avec une toupie qu'il a reçue pour son anniversaire. Oscar adore les voyages en autobus. Le plus long trajet qu'il effectue le conduit à Achacachi, la ville la plus proche, et dure une heure.

AIDER AUX CHAMPS
Oscar est en train de briser la terre afin de la préparer pour planter des pommes de terre. Celles-ci représentent la culture la plus importante sur l'Altiplano. Elles poussaient ici à l'état sauvage bien avant que les explorateurs ne les apportent au reste du monde.

« Nous élevons toute sorte d'animaux : des vaches, des moutons, des cochons, des poulets et des lapins. En ce moment nous avons une petite vache appelée Lila. Vous pouvez la voir sur cette photo. Elle me fait rire parce qu'elle est toujours en train de faire des choses drôles. »

« Ici, je porte des chaussures de sport. Lorsque je travaille aux champs je mets des chaussures en plastique qu'on appelle *ojotas*. »

OSCAR PRÉFÈRE LE RIZ
Oscar et sa famille mangent souvent de la soupe de nouilles avec du riz et des pommes de terre. Parfois, ils mangent de la viande lorsqu'ils vont au marché ou qu'ils ont tué un de leurs animaux. Pendant ces repas, Oscar boit du lait qui vient des vaches de la famille.

Soupe de nouilles

Carlitos

Carlitos a douze ans. Il habite avec sa famille dans un ranch du nom d'Aleluya en Argentine, Amérique du Sud. Le ranch se trouve dans la pampa argentine qui est une vaste prairie exploitée surtout pour élever du bétail et faire pousser des cultures. La ville la plus proche du ranch est Tandil qui se trouve à 65 km de là. Le père de Carlitos est le régisseur du ranch ; Carlitos, ses frères et sa sœur aident leur père à s'occuper du bétail. Ils donnent aussi un coup de main dans la laiterie du ranch.

Voici le plus jeune frère de Carlitos, Matías. Il a six ans.

LA MAISON DE CARLITOS
Comme la plupart des gens qui travaillent dans le ranch Aleluya, la famille de Carlitos habite dans une maison située sur la propriété. C'est une maison en pierre avec un toit de tôle ondulée. Il y a huit pièces dont trois chambres et trois salles de bains. La chambre de Carlitos est l'endroit de la maison qu'il préfère parce qu'il l'a pour lui tout seul.

Chacho, le père de Carlitos

Mirta, la mère de Carlitos

Marisol, la sœur de Carlitos

Mirta porte en général des jeans.

Matías

Carlitos

LA FAMILLE DE CARLITOS
Le père de Carlitos s'appelle Arturo mais la plupart des gens l'appellent « Chacho ». Pendant que Chacho s'occupe du ranch, la mère de Carlitos, Mirta, s'affaire à la maison. Carlitos appelle ses parents « Papi » et « Mami ». Ses deux frères plus âgés, Marcos et Juan, ont dix-huit et seize ans et travaillent dans le ranch : ils rassemblent le bétail à cheval. La famille parle l'espagnol, la langue principale en Argentine.

Carlitos en train de boire du maté

Feuilles de maté

Tasse à maté

Pipette à maté

BOIRE DU MATÉ
Carlitos et sa famille boivent du maté (une infusion) au petit déjeuner et aussi lorsque des amis leur rendent visite. Le maté, à base de feuilles vertes et d'eau chaude, est une boisson très populaire en Argentine. Carlitos l'aspire avec une pipette qui filtre les feuilles.

Marisol a quatorze ans. Son nom vient des mots espagnols signifiant « mer et soleil », *mar y sol*.

AUTOUR D'ALELUYA
Voici le paysage qui entoure le ranch Aleluya. On trouve toute sorte d'animaux sauvages sur le ranch ainsi que les animaux de la ferme. Carlitos a vu des cerfs, des loutres, des tatous, des renards, des lièvres et des sconses (moufettes). Le cerf est son animal sauvage préféré.

À QUI LE CHIEN ?
La famille de Carlitos possède deux chiens, Rocky et Chiquito. Le chien avec lequel joue Marisol, la sœur de Carlitos, sur cette photographie (à gauche) est arrivé dans la maison quelques jours auparavant. Personne ne sait d'où il vient. Le père de Carlitos voulait s'en séparer, mais Carlitos l'a convaincu de le garder.

« *Mon nom est Carlos, mais tout le monde m'appelle Carlitos. Les week-ends et après l'école, j'aide au travail du ranch. J'aime bien monter à cheval pour rassembler le bétail. Je crie et je fais courir les bêtes comme je le veux. Je sais semer les graines et labourer avec le tracteur. Quand je serai grand, je veux être électricien pour réparer les choses. J'aimerais voyager car j'aime l'univers. C'est vraiment grand. J'aimerais aller au Brésil.* »

Les meilleurs amis de Carlitos, Marcos (à gauche) et Roberto (à droite)

En été, pour monter à cheval, Carlitos porte ces espadrilles traditionnelles appelées *alpargatas*.

La ceinture colorée de Carlitos appelée *faja*

Carlitos et Matías portent le pantalon traditionnel des cavaliers argentins que l'on nomme *bombacha*.

Cette plaque indique le nom de l'école de Carlitos et la date à laquelle elle fut fondée.

L'école de Carlitos

Sur la couverture du livre d'exercice de Carlitos il y a un dessin de Paris.

« *J'ai choisi de vous montrer cette page de mon cahier de sciences naturelles parce que c'est la plus soignée.* »

À L'ÉCOLE EN CAR

Carlitos et Matías vont à l'école ensemble en car. Ils mettent environ une demi-heure pour arriver. Le cours préféré de Carlitos est l'instruction civique. Il aime aussi jouer dans la cour de récréation.

La voiture de course miniature de Carlitos

« *Mon bien préféré, c'est mon vélo. Il appartenait avant à mon cousin mais il me l'a donné lorsqu'il est devenu trop grand. J'aime faire le tour du ranch en vélo et aller jusqu'au lac pour pêcher. J'aime aussi jouer avec ma voiture de course miniature.* »

NOURRITURE FAMILIALE

Carlitos et sa famille mangent de la viande provenant du ranch tous les jours. Le reste de leur alimentation, spaghetti, salade et légumes, vient du marché. Les plats favoris de Carlitos sont les *milanesas* et la viande cuite au barbecue. Il n'aime pas la soupe qu'il trouve sans goût.

« *Voici Colimba, que je monte souvent. Quand on m'a offert un cheval, ce fut l'événement le plus extraordinaire de ma vie. Il s'appelle Ceniza, ce qui veut dire "cendre" à cause de sa couleur. Il boite en ce moment, j'ai donc dû le laisser à l'herbage.* »

« *En hiver, il fait trop froid pour porter des* alpargatas *(espadrilles), donc nous mettons des chaussures de sport ou des bottes de caoutchouc.* »

Milanesas (veau frit dans la chapelure)

Saucisse argentine appelée *chorizo*

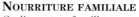

Petits pains ou *galleta criolla*

Celina

Celina Tembé a neuf ans et vit dans la forêt tropicale humide d'Amazonie au Brésil, en Amérique du Sud. Celina est une Indienne tembé et son père est le chef du village. Les membres de la famille de Celina sont agriculteurs. Ils cultivent les produits nécessaires à leur nourriture et vendent ce qui leur reste. Le père et le frère de Celina pêchent aussi dans la rivière et, parfois, ils tuent des alligators pour les manger. Celina vit très près de l'équateur, il fait toujours chaud et humide et le jour et la nuit ont la même durée.

UNE MAISON DANS LA JUNGLE
La maison de Celina est en briques de boue avec un toit en bois. Celina et trois de ses sœurs dorment dans une pièce dans des hamacs suspendus au plafond. Ses parents et son frère dorment dans l'autre pièce qui sert aussi de cuisine.

La nuit, la famille de Celina éclaire la maison avec cette lampe à gaz.

Voici Muruiru Tembé, le père de Celina. Celina l'appelle « Pai ».

Maria est la mère de Celina.

LA FAMILLE DE CELINA
Le nom de famille de Celina est le nom de sa tribu, les Tembés. Celina a quatre sœurs et un frère. Sa sœur aînée, Socorro, a vingt-deux ans, elle est mariée et a trois enfants. Celina a une autre sœur plus âgée, Celma, qui a douze ans et deux sœurs plus jeunes, Cirleia et Cintia. La famille de Celina parle le portugais, qui est la langue principale au Brésil. À l'école, les enfants apprennent le tembé parce que les Indiens veulent pouvoir parler leur propre langue.

Celina appelle sa mère « Mamãe ».

Le frère de Celina, Sergio, a seize ans. Il utilise un arc et des flèches pour pêcher.

Voici la sœur de Celina, Cirleia qui a six ans

La plus jeune sœur de Celina, Cintia, a trois ans.

AUTOUR DE SÃO PEDRO
Le village de Celina, São Pedro, se trouve sur les bords du Rio Guama, rivière qui va se jeter dans l'Amazone. Il n'y a pas de pont et les villageois traversent la rivière en canoë. Belém, capitale de l'État de Para, est la ville la plus proche de São Pedro, à quatre heures de route. Une grande partie de la forêt entre São Pedro et Belém a été abattue au profit des cultures.

L'EAU QUI VIENT DU PUITS
Chaque jour, Celina va puiser l'eau au puits du village (à droite). Elle la transporte dans une *cabaça* séchée et évidée ; c'est un fruit qui pousse dans la forêt toute proche.

Cabaça séchée utilisée pour porter l'eau

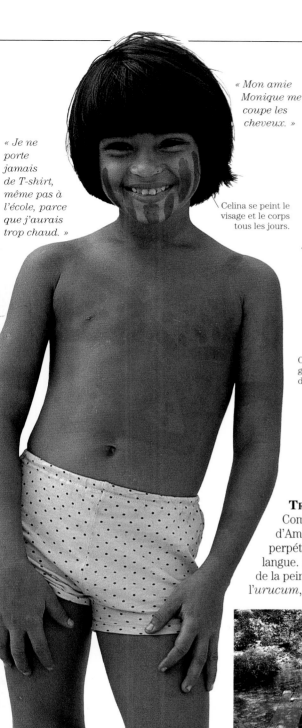

« Je ne porte jamais de T-shirt, même pas à l'école, parce que j'aurais trop chaud. »

« Mon amie Monique me coupe les cheveux. »

Celina se peint le visage et le corps tous les jours.

Celina

" Je m'appelle Celina Tembé, je suis une Indienne tembé. Je viens de commencer à apprendre le tembé, notre langue. J'aime vivre près de la rivière – je veux vivre ici toute ma vie. J'aime la forêt et cela me rend triste lorsque les gens coupent les arbres. Parfois la nuit, la forêt me fait peur car le matim y habite. C'est un animal dont les adultes disent qu'il est imaginaire. Mais je sais qu'il est là parce que je l'entends siffler. "

Cosse et graines d'*urucum*

LES AMIES DE CELINA
Celina et ses amies Anna-Paula (à gauche) et Monique (à droite) aiment jouer ensemble à la poupée.

Les graines d'*urucum* sont broyées pour obtenir une pâte à partir de laquelle on fabrique la peinture rouge pour le corps.

TRADITIONS
Comme beaucoup d'Indiens d'Amazonie, les Tembés perpétuent leurs traditions et leur langue. Ils décorent leur corps avec de la peinture faite à partir de l'*urucum*, qui pousse dans la forêt.

L'ÉCOLE DE SÃO PEDRO
L'école de Celina est proche de sa maison. Elle ne va à l'école que depuis un mois parce qu'il n'y avait pas d'instituteur auparavant. Celina apprend à lire et à écrire, elle apprend aussi le tembé.

« J'aime l'école. Je fais des exercices d'écriture dans mon cahier. »

AU BORD DE LA RIVIÈRE
Celina se lave et nage dans ce petit bras d'eau qui est tout proche du bras principal de la rivière. Elle prend parfois toute seule le canoë familial. Jamais elle ne s'éloigne de la rive en pagayant. Des alligators, des serpents et des piranhas vivent dans la rivière, mais Celina n'a jamais peur de jouer là. Elle dit que les animaux ne lui feraient pas de mal.

« Nous avons un chien nommé Tuike et nous avons aussi ce chiot qui n'a pas encore de nom. »

« Je suis toujours pieds nus – je n'ai jamais porté de chaussures. Mais je me fais rarement mal aux pieds. »

SUSPENDUE
Celina dort dans un hamac fait d'un grand morceau de tissu avec de la corde à chaque extrémité. Les cordes sont attachées aux poutres du toit. Si Celina a froid pendant la nuit, elle s'enroule dans un drap.

Les hamacs ont été inventés par les Indiens d'Amérique du Sud.

Racine de *maniva*

DE LA *MANIVA* SURTOUT
Celina et sa famille mangent du *xibe* à presque tous les repas. Le *xibe* est fabriqué à partir de racines de *maniva* pilées, mélangées à de l'eau. Avec le *xibe*, ils mangent du poisson pêché dans la rivière ou de la viande achetée au marché. Celina ramasse aussi des fruits dans la forêt.

La famille de Celina cultive suffisamment de *maniva* pour ses besoins et vend ce qui reste.

Xibe fait à partir de racine de *maniva* broyée et d'eau.

Omar

Omar Guerrero Salazar a huit ans. Il vit avec sa famille près de la ville de Cancún dans le sud-est du Mexique. Cette région est bordée de belles plages de sable baignées par une mer chaude de couleur turquoise. Dans les eaux peu profondes, des poissons tropicaux aux couleurs brillantes nagent dans les récifs de corail. La belle côte de Cancún attire les visiteurs qui viennent du monde entier. Le père d'Omar vit du tourisme. Il va chercher les vacanciers à l'aéroport et les conduit à leur hôtel.

VAGUES MEXICAINES

Cancún se trouve dans la péninsule du Yucatán, une presqu'île entre le golfe du Mexique et la mer des Antilles. Les touristes ont commencé à se rendre à Cancún depuis vingt ans. Dès lors, des hôtels et des appartements modernes ont surgi de terre tout le long de la côte. La famille d'Omar habite juste en dehors de Cancún. Il faut à peu près vingt minutes en voiture pour arriver à la plage.

« J'aime beaucoup être dans l'eau avec les poissons. Ils ont des couleurs tellement brillantes. Hier, j'ai vu un poisson complètement transparent. »

La grand-mère d'Omar | Lilia, la mère d'Omar | Omar | Octavio | Luis Angel, le père d'Omar

UN EFFORT COMMUN

Le père d'Omar est en train de construire lui-même la maison familiale. Cela lui a pris quatre ans et la bâtisse est presque terminée maintenant. Il a enseigné à Omar et à Octavio comment faire du ciment, et ils l'ont aidé à construire les murs et à poser le plancher. La maison possède une grande pièce avec des espaces pour faire la cuisine, manger et dormir. Toute la famille a décidé la disposition des espaces.

Luis Angel range sa voiture dans le garage.

LA FAMILLE D'OMAR

Omar appelle ses parents « Mami » et « Papi ». Il a un frère, Octavio, qui a quatorze ans. Ils s'entendent très bien. Omar dit qu'ils se sont disputés seulement quatre fois. Pendant que son père va travailler, sa mère fait des gâteaux et des pâtisseries pour les vendre. Omar fait souvent les courses. Il part sur sa bicyclette et achète de la viande, des légumes, du lait et des *tortillas* (crêpes de maïs).

Omar est sur le point de donner un bain à Gertrude.

L'HÉRITAGE ESPAGNOL

Le Mexique a été colonisé et exploité par les Espagnols pendant trois cents ans jusqu'en 1821. Ils y ont apporté leur langue et la religion catholique. Aujourd'hui, l'espagnol est la langue officielle du Mexique.

Gertrude, la tortue

UNE TORTUE TRÈS PROPRE

Dès qu'il s'éveille le matin, Omar pense à Gertrude, sa tortue, qui vit dans le jardin. Omar lui donne un bain chaque jour et elle adore nager dans l'évier. Les amis d'Omar viennent parfois la voir, mais lorsqu'ils arrivent, elle se cache toujours dans les buissons.

Omar va à l'église San Francisco de Asís. Saint François d'Assise est le saint patron des animaux. La plupart des Mexicains sont catholiques.

Voici l'autel de l'église San Francisco de Asís

Omar

" Lorsque je serai grand, je veux travailler sur ordinateurs. Je jouerai au football pendant mes loisirs parce que c'est mon sport favori. Si jamais je pouvais changer le monde, j'aiderais tous les enfants abandonnés par leur famille. Je parlerais à leurs parents et je leur demanderais de ne pas obliger leurs enfants à travailler. "

Javier

LE COURAGEUX AMI D'OMAR

Le meilleur ami d'Omar s'appelle Javier Otero Pérez. Il habite dans la maison qui se trouve derrière celle d'Omar. Javier et Omar se protègent l'un l'autre lorsque des garçons plus grands menacent de se battre avec eux. Omar pense que Javier est très courageux.

Masque

Tuba

Palmes

La classe d'Omar

NAGER DANS LA MER AVEC UN TUBA

Omar va nager dans la mer presque tous les jours. Il explore les rochers et les récifs de corail à la recherche de poissons et d'autres créatures marines. Omar porte un masque et un tuba, il peut ainsi respirer sous l'eau et voir sous les vagues. Il porte aussi des palmes pour pouvoir glisser plus facilement dans l'eau.

PRODIGE DES MATHÉMATIQUES

L'école d'Omar n'est pas loin de sa maison et il s'y rend à pied le matin avec sa mère. Omar est très bon en mathématiques ; c'est sa matière préférée. Lors d'un examen récent il a eu 96/100. Omar n'aime pas lire parce qu'il trouve cela ennuyeux. Ce qu'il préfère, c'est la récréation et le moment du déjeuner.

« Je suis toujours en short. Je ne porte un pantalon que pour les fêtes. J'aime ce T-shirt en coton, il est doux. »

« Voici mon livre de maths. J'aime beaucoup y écrire de très grands nombres. »

Sauce épicée appelée *salsa*

Les piments relèvent les plats que mange Omar.

Omar mange souvent de la purée de haricots rouges frits.

Omar enroule sa nourriture dans les *tortillas* pour faire des *tacos*.

LE RÉGAL DES *TORTILLAS*

Omar et sa famille mangent souvent des *tacos* ; ce sont des *tortillas* fourrées avec de la viande et des légumes. Ils mangent aussi beaucoup de fruits (melons). Omar aime bien un fruit mexicain appelé *tuna*, figue de barbarie qui ressemble à un cactus très sucré. Omar le mange avec de la glace. C'est très rafraîchissant.

Carlos

Carlos Pino a neuf ans et vit dans l'État du Nouveau-Mexique dans le sud-ouest des États-Unis. C'est un Indien acoma qui vient d'un village du désert appelé Acoma Pueblo. C'est l'un des plus anciens hameaux des États-Unis, bâti en haut d'un rocher élevé et aplati au sommet qu'on appelle une *mesa* (un plateau). Comme la majorité des Acomas, Carlos et sa famille vivent maintenant dans un nouveau village en dessous de la *mesa* où il est plus facile d'avoir l'eau et l'électricité.

Carlos se prononce « kar-lesse ».

UNE MAISON AU CIEL
Acoma Pueblo est aussi appelé « la Ville du ciel » en raison de sa situation sur la *mesa*, le plateau (ci-dessus). La maison de la famille de Carlos a été achetée avec une vache par son arrière-arrière-grand-mère.

Laura, la mère de Carlos

LE CHOIX DE CARLOS
Carlos habite le village d'Acomita. Sa maison a une forme en L et un toit plat. Comme beaucoup de maisons du Nouveau-Mexique, elle est en briques d'argile crue, qu'on appelle pisé, et en grès. Carlos préfère cette maison à celle sur la *mesa* parce qu'il y a un téléviseur, un four à micro-ondes et l'eau courante.

DINGUE D'ORDINATEUR
Carlos aime s'amuser avec des jeux sur l'ordinateur de sa mère et sur cette console de poche.

« *J'aime chaque chose de ce monde sauf les guerres. Je souhaite la paix pour tous et j'aimerais aussi être un peu riche. Quand je serai grand, je veux être joueur de base-ball ou inventeur de choses qui n'abîment pas la nature.* »

« *Les gens disent que je suis un moulin à paroles parce que je n'arrête jamais de raconter des histoires.* »

« *Nous avons deux chiens, Skinny et Roly. Lui, c'est Roly. Il s'appelle comme cela car il se roule souvent par terre. On ne laisse jamais les chiens entrer dans la maison, sinon ils mangeraient tout.* »

Jonathan
Carlos
Miah

LA FAMILLE DE CARLOS
La mère de Carlos, Laura, est avocate. Son père, Manuel, est professeur à l'université de Phoenix, capitale de l'Arizona, à des centaines de kilomètres de chez lui. Manuel habite à Phoenix et rentre aussi souvent qu'il le peut. Carlos et Laura vont souvent manger chez son arrière-grand-mère qui habite à côté.

Carlos prend ce car pour aller à l'école.

LES AMIS DE CARLOS
Carlos aime bien ses amis Jonathan et Miah parce qu'ils le font beaucoup rire.

« *Voici mon cahier d'école. Outre l'anglais, j'apprends aussi à parler la langue de mon peuple, le keresan.* »

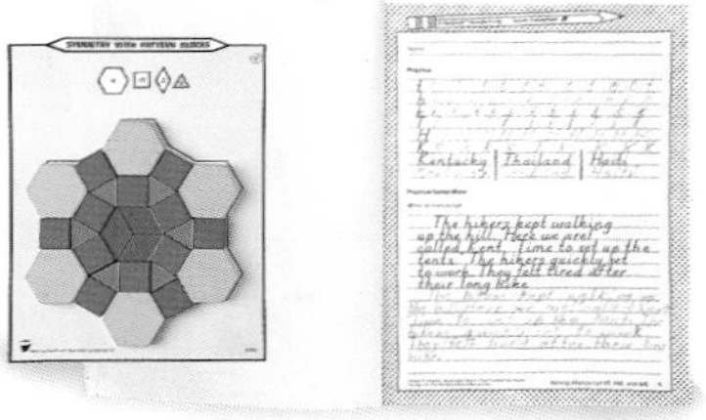

OBSERVER LES VERS DE TERRE
Les sciences naturelles sont la matière préférée de Carlos. Sa classe a monté un élevage de vers afin de pouvoir les observer dans la terre. Les enfants ont déjà élevé des chenilles.

Carlos aime bien être en jeans et en T-shirt en hiver. Mais en été, lorsque la température peut monter presque jusqu'à 40 °C, il porte des shorts et des débardeurs.

« *J'aimerais aller en Égypte, parce que je m'intéresse beaucoup aux momies. Je voudrais aller à Tokyo aussi pour voir à quoi ressemble une ville si grande.* »

« Pain frit » tartiné de bœuf épicé

Petits pains sucrés

Piments

« *Ces chaussures de basket coûtent vraiment très cher, c'est pourquoi je n'en ai qu'une seule paire.* »

UNE PIZZA S'IL VOUS PLAIT
Le Nouveau-Mexique n'est pas loin du Mexique et la nourriture y est très semblable. Carlos mange beaucoup de plats indiens et des fruits et des légumes de son jardin. La pizza est son plat préféré.

Nicole

« Mon prénom se prononce " ni-côle " ».

Nicole Matteson a huit ans et vit à Los Angeles, une grande ville du sud de la Californie (États-Unis). Ses parents travaillent pour l'industrie du cinéma dans le quartier d'Hollywood. Sa famille habite une maison avec une piscine. La douceur du climat permet à Nicole de se baigner presque toute l'année.

« J'essaie de laisser pousser ma frange parce que je l'ai toujours dans les yeux. »

Nicole adore porter des vêtements d'été, en particulier des shorts et des T-shirts.

S'AMUSER DANS LE JARDIN
Nicole habite dans une grande maison qui comporte quatre chambres à coucher. Dans le jardin, il y a une piscine, une cabane construite dans un arbre, un trampoline, une confiserie et une prison en bois construites pour l'amusement des enfants.

Michael — Laura — Sylvia

Nicole

Le jouet préféré de Nicole

Mikie

« J'aime vivre ici, à LA (l-é ou Los Angeles). *Il n'y a pas longtemps, il y a eu un gros tremblement de terre. La maison a bougé et vibré, on se croyait à Disneyland sur les montagnes russes. Ça a fait des dégâts. Plus tard, je veux être artiste car j'adore dessiner et peindre.* **»**

LA FAMILLE DE NICOLE
Nicole appelle ses parents « Mom » et « Dad ». La mère de Nicole, Laura, est responsable des tournages en extérieur pour le cinéma. Elle voyage pour trouver les endroits où filmer. Le père de Nicole, Michael, est chef machiniste dans l'industrie cinématographique. Il travaille avec les cadreurs sur les plateaux. Pendant que Laura et Michael sont au travail, leur gouvernante s'occupe de Nicole et de son frère, Mikie.

Nicole et sa meilleure amie, Holland, aiment nager ensemble dans la piscine et jouer dans la cabane.

SUCRERIES POUR COW-BOYS
La tante de Nicole a fabriqué cette confiserie pour la fête organisée lors des six ans de Mikie : la boutique ressemble à un magasin du Far West.

L'école de Nicole

Nicole a fait et colorié ce dessin représentant deux épouvantails dans un champ de citrouilles.

L'HEURE DE L'ÉCOLE
Nicole aime toutes les matières à l'école. Elle préfère les mathématiques parce que son professeur fait jouer la classe avec des chiffres. Nicole fait partie d'une équipe de football féminine.

« Voici notre chien, Boomer. »

UNE PIZZA DE RÊVE
La famille de Nicole mange beaucoup de salades et de fruits frais. Le plat préféré de Nicole, c'est la pizza. Sa mère achète les fonds de tarte que l'on garnit selon son goût.

Pizza

« Je porte toujours des tennis parce que c'est vraiment confortable. »

GRATTE-CIEL

New York est célèbre pour ses gratte-ciel de bureaux sur l'île de Manhattan. Les plus grands de ces immeubles étaient les tours jumelles du World Trade Center détruites par deux avions détournés qui les ont percutées en septembre 2001.

Taylor

Taylor se prononce « taï-leur ».

Taylor Mapps a six ans et il vit à New York, la ville la plus grande des États-Unis. Son père est avocat et sa mère fait des costumes pour le théâtre. La famille de Taylor habite dans un appartement à Manhattan. Lorsque Taylor et ses amis veulent jouer dehors, ils vont dans un terrain de jeux voisin. Ils aiment y jouer au basket.

« *La jeune fille qui s'occupe de moi lorsque mes parents sortent, me coiffe. Elle met de l'huile sur mes cheveux et les tord pour faire des dreadlocks.* »

Raymond, le père de Taylor

Linda, la mère de Taylor

« *En hiver, il fait froid à New York. Ce pull, sous mon manteau, me tient bien chaud lorsque je joue dehors.* »

" *Quand je serai grand, je veux être pompier. Je sauverai les gens. Si c'était possible, je voudrais être un " Power Ranger " comme dans le dessin animé. J'aime voyager en avion et me faire de nouveaux amis dans d'autres pays… à la Jamaïque ou aux Bahamas.* "

LA FAMILLE DE TAYLOR

Les parents de Taylor se prénomment Raymond et Linda. Taylor appelle sa mère « Mommy » et son père « Daddy ». Taylor aide ses parents pour les courses et le ménage, nettoie sa chambre et sa salle de bains et sort les poubelles.

LA MAISON DE TAYLOR

L'appartement de Taylor est un trois pièces comprenant deux chambres et deux salles de bains. Taylor partage une salle de bains avec son père et sa mère a l'autre salle de bains pour elle seule. Taylor aime bien se glisser dans la chambre de ses parents et sauter sur leur lit.

Taylor collectionne les autocollants qu'il met sur la porte de sa chambre.

Le jouet préféré de Taylor est ce dinosaure qu'il appelle Godzilla.

« *J'adore porter des espadrilles et des jeans, j'en ai beaucoup.* »

Taylor emporte son déjeuner dans cette petite valise (*lunch-box*) lorsqu'il va à l'école.

Pomme   Jus de fruit

Sandwichs à la dinde

Le sweat-shirt de l'école de Taylor

ALLER À L'ÉCOLE

Taylor aime bien aller à l'école. Il s'y rend à pied le matin avec ses amis. Taylor fait ses devoirs sans problème ; il ne s'agit encore que de lecture. Ce qu'il préfère, c'est le sport et surtout le football.

Les livres d'école de Taylor

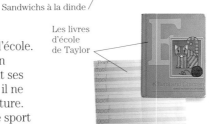

Taylor fait souvent du patin en ligne à Central Park.

Taryn

Taryn se prononce « taï-rèn »

Taryn Tesdal, sept ans, habite dans une ferme proche de Morris dans l'Illinois. Cette région des États-Unis appelée Midwest (centre-ouest) est très fertile et les fermes y sont nombreuses. Ses parents travaillent tous les deux dans une banque locale et ils s'occupent de la ferme pendant leurs loisirs. Taryn a deux sœurs et ses grands-parents habitent tout près.

« Je me coiffe toujours comme cela. Je veux laisser pousser mes cheveux pour pouvoir les remonter vraiment haut. »

GRANDES PLAINES
Autour de la ferme de Taryn, le sol est plat et l'herbe pousse naturellement. Cette vaste étendue plate s'appelle les Grandes Plaines.

Cheryl, la mère de Taryn

Tom, le père de Taryn

Taylor

Taryn

Tory

Taryn adore collectionner des objets. Voici quelques-uns de ses trolls (lutins de la légende scandinave).

Taryn

66 *Quand je serai grande, je veux travailler à la caisse dans le magasin où nous allons avec Mom. Je voudrais avoir un million de dollars à dépenser dans le magasin. J'aimerais que le monde soit plus propre et l'air moins pollué parce que cela tue les oiseaux et les arbres.* **99**

« Le patin à roulettes est mon activité préférée. »

LA FAMILLE DE TARYN
Taryn appelle ses parents « Mom » et « Dad ». Les sœurs de Taryn, Taylor et Tory ont onze et neuf ans. Les grands-parents de Taryn habitent aussi dans une ferme. Taryn voit sa grand-mère presque tous les jours après l'école.

L'école de Taryn

LA MAISON DE TARYN
La maison de Taryn est en bois et a trois étages. Taryn partage sa chambre avec Tory. Elles dorment dans des lits superposés.

Un cheval dessiné par Taryn

Le livre de mathématiques et les bâtonnets de calcul de Taryn

Taryn aime porter des caleçons ou des jeans avec un sweat-shirt.

LA CLASSE DE MME TRUTY

« Nos chats sont les animaux que j'aime le plus au monde. »

La famille de Taryn possède sept chats et six chatons.

Taryn prend le car scolaire à huit heures du matin et s'assoit à côté de son amie Katie. Il n'y a que trois enfants dans sa classe : elle-même, Katie et une autre amie de Taryn nommée Allison. Taryn aime bien sa maîtresse, Mme Truty. Elle leur apprend à lire, à écrire, les mathématiques, les sciences naturelles et l'allemand.

Voici l'église où va tous les dimanches la famille de Taryn. Celle-ci assiste aussi à l'école du dimanche après l'office.

« Je mets en général des tennis ou des mocassins comme ceux-ci. »

SPAGHETTI
La famille de Taryn mange beaucoup de fruits, de légumes et de pâtes. Le plat préféré de Taryn, ce sont les spaghetti avec du beurre fondu (à droite).

Gabriel

Gabriel Brink a neuf ans et vit en Alaska, le 49ᵉ État des États-Unis, dans le nord-ouest de l'Amérique du Nord. Gabriel est un Inuit (Eskimo) yupik. Les Yupiks habitent le sud de l'Alaska et l'est de la Sibérie, en Russie.

« Comme tout le monde à Bethel, je me fais couper les cheveux par Stan. C'est le coiffeur. »

BETHEL
À l'automne, les rivières qui entourent Bethel, la ville où vit Gabriel, commencent à geler (ci-dessus). En décembre, la glace est si épaisse que l'on peut rouler en voiture sur les rivières.

Gabriel

« J'appartiens au peuple yupik et mon nom yupik est Taall'aq. Plus tard, je veux être policier et chasser comme mon père. Je l'accompagne à la chasse à l'original, au caribou ou aux oiseaux. J'ai déjà tiré sur un canard, trop petit pour être mangé. »

UNE MAISON DOUILLETTE
La maison de Gabriel est en bois et a deux étages. Gabriel aime sa maison parce qu'elle est chaude et confortable.

Marvella — William — Clinton — Jamie

LA FAMILLE DE GABRIEL
La mère et le père de Gabriel s'appellent Marvella et William. Ils ont aussi des noms yupiks : Akiuk'aq et Uyang'aq. Gabriel a une sœur plus jeune prénommée Jamie et un cousin, Clinton. Bientôt la famille va s'agrandir : Marvella attend un bébé !

« J'aimerais bien aller à New York pour me rendre compte de la taille de cette ville. »

L'école de Gabriel

« Cette voiture téléguidée est mon jouet préféré. J'aime aussi jouer au base-ball. Et ce que j'aime le plus, c'est manger une pizza ! »

KILBUCK ELEMENTARY SCHOOL

SPECIAL HELPERS — My Daily Schedule

Le livre scolaire de Gabriel

À L'ÉCOLE
L'écriture est la matière préférée de Gabriel. Il étudie aussi l'anglais, les mathématiques et le yupik, la langue de son peuple. Gabriel parle le yupik et l'anglais.

LES RÉGALS ESKIMOS
La famille mange souvent les produits de la chasse de William : original, canard, etc. Pour ses enfants, Marvella fait de l'*agutak*, de la glace eskimo.

Agutak

Poisson séché, pêché par William

« En hiver, j'adore jouer dans la neige. On fait des bonshommes et des anges de neige. Parfois, on fait du traîneau, tiré par un attelage de chiens. »

Les bottes de Gabriel sont doublées avec de la fourrure pour garder ses pieds au chaud.

Levi

Levi Eegeesiak a huit ans et vit au Canada dans une ville isolée appelée Iqaluit. Levi est un Inuit. Les Inuits, anciennement appelés Eskimos, peuplent les régions arctiques.

Le nom de Levi se prononce « lii-vi ».

Les voitures miniatures de Levi

IQALUIT

La ville d'Iqaluit se trouve sur la côte de la terre de Baffin, une île de l'océan Arctique. On y trouve de la neige d'octobre à mai. Le soleil est alors au-dessus de l'horizon deux heures par jour.

« Voici comment j'écris mon nom en inuktitut, notre langue inuit. Mon activité préférée est le hockey sur glace ; je joue dans l'équipe des Atomes. Je veux être hockeyeur quand je serai grand. »

PLUS HAUT QUE LA NEIGE

La maison de Levi (ci-dessus) est en bois. Comme toutes les maisons de la ville, elle est construite sur pilotis afin de rester au-dessus de l'épaisse couche de neige hivernale. Ce que Levi préfère dans sa maison, c'est la télévision.

Les parents de Levi portent des vestes inuit traditionnelles appelées *parkas*.

Levi · Joamie · Kipanik

LA FAMILLE DE LEVI

Le père de Levi est charpentier et sa mère, Joamie, travaille pour le gouvernement. Levi a un frère de douze ans, Kipanik, et deux sœurs, Naiomi et Jackie, qui ont six et trois ans. En hiver, le père de Levi part chasser le caribou. Il conduit une autoneige et attache une remorque derrière pour transporter l'animal chez lui.

Jackie · Naiomi · Levi junior

LES LEÇONS DE LEVI

À l'école (ci-dessus), Levi apprend les mathématiques, l'informatique, la lecture et l'inuktitut. Il parle inuktitut à l'école et à la maison et il comprend aussi l'anglais. Levi préfère les mathématiques parce qu'il trouve cela facile. Il pense que lire est ennuyeux.

Voici le cahier d'exercices de Levi. C'est écrit en inuktitut.

La figurine de Levi est censée ressembler à un célèbre joueur de hockey sur glace nommé Brett Hull.

CARIBOU ET KETCHUP

Levi mange souvent du caribou pour le dîner. Il aime bien l'accompagner de ketchup. Levi adore les frites !

Ragoût de caribou

« J'aimerais vraiment aller à Disneyland. On doit tellement s'amuser là-bas. »

« Voici mes patins de hockey sur glace. Je joue avant et je porte un équipement noir. »

Les bottes de Levi sont spécialement isolées et gardent ses pieds au chaud par les températures glaciales de l'hiver.

L'Europe

Le continent européen s'étend des terres glacées situées au nord du cercle arctique aux régions chaudes et ensoleillées qui bordent la Méditerranée. Il est limité à l'ouest par l'océan Atlantique et à l'est par les montagnes russes de l'Oural. Son climat tempéré est favorable à l'agriculture.

Icône grecque

Tramway hongrois

Cabine téléphonique russe

La Scandinavie se compose de trois pays : la Norvège, la Suède et le Danemark.

Finlande

Allemagne

Royaume-Uni

Irlande

France

Pyrénées

Espagne

Mer Méditerranée

Russie
• Moscou

Pologne
• Prague
Hongrie

Italie

Alpes

Crète

Grèce

LA POPULATION

L'Europe compte près de 700 millions d'habitants qui ne se ressemblent pas tous. La plupart des Scandinaves ont une peau très claire, les cheveux blonds et les yeux bleus, tandis que les habitants des régions méditerranéennes, comme l'Italie ou l'Espagne, ont plutôt la peau mate et les cheveux noirs ou bruns. Tout au long du XXe siècle, nombreuses sont les personnes originaires d'autres continents qui ont immigré en Europe. Dans ce chapitre, les enfants que l'on rencontre viennent de Finlande, de Hongrie, de Pologne, de Russie, de France et de Grèce.

BOCAGE

Dans de nombreuses campagnes, en France ou au Royaume-Uni (à gauche), les champs sont de petite taille et entourés de haies ; ils forment comme un « patchwork ». Ces paysages sont généralement très verts, en raison du climat pluvieux.

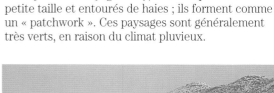

SAPINS

Une vaste forêt de conifères, la taïga, s'étend sur le nord de l'Europe. Une grande partie de la Suède est couverte de sapins.

CULTURES SOUS LE SOLEIL

Les régions méditerranéennes, comme le sud de l'Espagne, connaissent des hivers doux et humides et des étés secs et torrides. Ce climat est idéal pour la culture des olives et du tournesol.

VISAGES DE L'EUROPE

Ces enfants viennent d'un peu partout en Europe.

Joanna, sept ans, vit en Pologne.

Jennifer, quatre ans, réside en France.

Markku, dix ans, vient de Finlande.

Enikö, dix ans, habite en Hongrie.

Olivier, sept ans, est français.

Saara, sept ans, vit en Finlande.

ENFANTS D'EUROPE

Voici les enfants que tu vas rencontrer dans ce chapitre. Ils vivent en Finlande, en Hongrie, en Pologne, en Russie, en France et en Grèce.

Ari vient de Finlande (p. 26).

Mónika est hongroise (p. 27).

Bogna vit en Pologne (p. 28-29).

Olia habite à Moscou (p. 30-31).

Rachel réside dans le Bordelais (p. 32).

Yannis vient de Crète, une île grecque (p. 33).

LA DANSE CLASSIQUE

Le ballet, qui vit le jour en Europe, est apprécié partout dans le monde. Parmi les plus grandes compagnies européennes figurent le Bolchoï de Moscou, le Royal Ballet de Londres et le Corps de ballet de l'Opéra de Paris. Chaque grande ville européenne possède son propre opéra consacré à l'art lyrique et à la danse.

Billets de banque russes

Mandarine grecque

LES MONTAGNES

Il y a principalement deux chaînes de hautes montagnes en Europe : les Alpes (ci-dessus) et les Pyrénées. Le ski y est un sport très pratiqué. En hiver, les skieurs de tout niveau se plaisent à glisser et à slalomer sur leurs pentes.

LES CHÂTEAUX

Construits au Moyen Âge pour être des forteresses imprenables, les châteaux sont devenus de somptueuses demeures pour l'agrément des princes, à l'image du château de Neuschwanstein en Allemagne, caprice du roi Louis II de Bavière (1845-1886).

DES VILLES MAGNIFIQUES

Les bâtiments des villes d'Europe « racontent » des siècles d'histoire. À Prague, capitale tchèque, la cathédrale gothique sise au milieu du château, domine le quartier baroque et renaissance de Malá strana.

Jadis, on trouvait des ours bruns partout en Europe. Ils ne vivent plus aujourd'hui que dans des régions d'Europe de l'est ou sur des territoires très limités en Italie, en Espagne, en Norvège et en France (Pyrénées).

Boîte aux lettres hongroise

Matriochka

David, douze ans, vit en Angleterre.

Patricia, neuf ans, est française.

Tania, huit ans, vit en Russie.

Sonia, huit ans, habite en Russie.

Yann, cinq ans, réside en France.

Heta, six ans, vit en Finlande.

Ari

Âgé de onze ans, Ari Laiti est originaire de Finlande, en Europe du Nord. Sa famille appartient au peuple sâme qui vit au nord du pays, dans une région appelée la Laponie. Les Sâmes parlent leur propre langue et un grand nombre d'entre eux élèvent des troupeaux de rennes. Le village d'Ari, Utsjoki, est le village le plus septentrional de la Finlande. Il se situe à 500 km à l'intérieur du cercle arctique.

LES TÉNÈBRES DE L'HIVER

Tout au nord de la Laponie, le soleil reste au-dessous de la ligne d'horizon du mois de novembre à la mi-janvier. Ces mois d'obscurité sont appelés *kaamos*, ce qui signifie « nuit polaire ».

Selma, la mère d'Ari

Timo

Tero

Jouni (que l'on prononce « yo-ouni »), le père d'Ari

LA FAMILLE D'ARI

Jouni construit des bateaux et Selma est à la fois institutrice et assistante sociale. Ari a deux frères plus âgés, Tero et Timo. Il a aussi un demi-frère, Toni Matti, qui élève des rennes. La famille tout entière participe au rassemblement des bêtes chaque automne. Les Sâmes font sortir leurs animaux des forêts en s'aidant d'autoneiges ou d'hélicoptères. Ensuite, chaque propriétaire décide soit de les vendre soit de les abattre pour se nourrir.

Ari porte le costume traditionnel sâme pour les grandes occasions.

« Je n'aime pas kaamos, c'est une période froide et triste. En été, il fait clair même la nuit. Alors, je peux aller pêcher tous les jours. Ah, s'il y avait plein de rivières remplies de poissons ! Je voudrais devenir vétérinaire et jouer dans une équipe professionnelle de hockey sur glace. »

Ari et son meilleur ami, Raine, aiment jouer au hockey sur glace.

« Raine est mon meilleur ami car je peux lui faire confiance. »

LA VAPEUR DU SAUNA

La maison d'Ari est construite en briques. À l'intérieur, les murs sont recouverts de bois. Comme de nombreuses maisons en Finlande, celle-ci est équipée d'un sauna pour prendre des bains de vapeur. Ari y va deux fois par semaine.

« Le jour où mon oncle m'a offert ma première canne à pêche a été le plus beau jour de ma vie. »

LES REPAS D'ARI

Ari et sa famille mangent souvent du poisson (du saumon) et beaucoup de viande de renne.

Ces pages sont extraites du cahier de travaux pratiques du cours de biologie d'Ari.

L'ÉCOLE D'ARI

Environ 2 500 Sâmes vivent en Finlande. Pour que leur langue ne meurt pas, certaines écoles (dont celle d'Ari) ont décidé de donner les cours en sâme plutôt qu'en finnois, Ari parle donc les deux langues. Il aime beaucoup l'école, où on lui enseigne, entre autres, les mathématiques, l'histoire, la biologie et les arts.

Les bottes d'Ari sont faites en fourrure de renne. Et comme cette fourrure empêche la neige de rester collée à ses bottes, il peut les porter dehors comme dedans.

Mónika

« Je préfère jouer de la flûte que du piano, je trouve ça plus facile. Avec la flûte, je joue une note à la fois, mais avec le piano, il faut faire sonner plusieurs notes en même temps. »

BUDAPEST
Budapest est la réunion de deux villes qui se situent de part et d'autre du Danube. Sur la rive droite, se trouve la ville haute de Buda et sur la rive gauche, Pest, la ville basse (ci-dessus).

Mónika a huit ans. Elle vit dans la banlieue de Budapest, la capitale de la Hongrie, en Europe centrale. Le nom de famille de Mónika est Nagy (prononce « nodj »). Les Hongrois disent leur patronyme en premier, Mónika s'appelle donc Nagy Mónika. Son père, Miklós, joue du cor d'harmonie dans un orchestre. Les autres membres de la famille jouent aussi d'un instrument. Mónika étudie la flûte et le piano, et sa sœur, Enikő, le violoncelle.

Mónika

Kinga

Enikő

Miklós

LA FAMILLE DE MÓNIKA
Kinga, la mère de Mónika, est institutrice dans une école maternelle. Elle a aussi enseigné le violoncelle et elle aide Enikő lorsqu'elle répète. Kinga emmène souvent Mónika et Enikő écouter leur père jouer avec son orchestre, l'Orchestre du Festival. Chaque été, Miklós et Kinga accompagnent leurs filles chez leur grand-mère qui vit en Allemagne.

« Plus tard, je veux être institutrice d'école maternelle, comme ma mère, parce que c'est agréable de travailler avec des enfants. J'aimerais visiter la Grèce, pour voir la mer – la Hongrie est entourée par la terre. Mon vœu le plus cher serait d'avoir un animal à moi. »

Mónika a commencé à jouer de la flûte il y a quatre mois.

Ce sont les partitions de Mónika. Elle joue ces airs de musique à la flûte.

VIVEMENT DIMANCHE !
Mónika et sa famille vivent dans ce grand immeuble. Mónika et Enikő dorment dans des lits superposés. Enikő occupe le lit supérieur, mais le dimanche elles échangent, et Mónika dort en haut. C'est pourquoi elle attend avec impatience le dimanche soir.

Ce sont les devoirs de Mónika. Elle a écrit une histoire qui a été lue en classe.

L'école de Mónika

L'ÉCOLE DE MÓNIKA
Mónika et Enikő vont dans la même école. Comme elles habitent tout près, elles s'y rendent à pied le matin. Les matières préférées de Mónika sont la lecture et les mathématiques.

« Voici Robbie, la perruche de ma sœur. Elle peut chanter, mais elle ne vole pas très bien. Il y a un petit miroir dans sa cage. Elle aime s'asseoir devant et parler à sa propre image. »

DU CHOCOLAT AVEC TOUT !
Mónika aime manger des céréales arrosées de lait chocolaté au petit déjeuner. Mais ce qu'elle préfère, ce sont les crêpes au chocolat. La famille de Mónika mange parfois le traditionnel goulasch, à base de viande de bœuf, de légumes et assaisonné avec du paprika.

Crêpes

Goulasch

Bogna

Bogna Smuk a dix ans. Elle vit avec sa famille dans une ferme de Pologne, en Europe centrale. Sa famille élève des vaches et le beau-père de Bogna utilise leur lait pour faire du fromage qu'il vend ensuite. Il prépare également du pain biologique – les produits biologiques sont fabriqués sans substances chimiques. La mère de Bogna, Ewa (prononce « eva »), est enseignante. Elle travaille également dans un centre d'informations, où elle conseille les gens qui ont des problèmes de santé.

VARSOVIE
La ferme de Bogna est à 80 km environ de Varsovie, la capitale de la Pologne, où il y a beaucoup de bâtiments anciens, notamment les murs de l'ancienne cité médiévale (ci-dessus). Il y a deux ans, avant qu'ils ne partent s'installer à la campagne, Bogna et sa famille vivaient à Varsovie. Sa mère se rend encore chaque semaine dans la capitale.

Ewa, la mère de Bogna

Peter, le beau-père de Bogna

LA FAMILLE DE BOGNA
Pendant que Peter se charge des travaux de la ferme, Ewa est occupée à toute sorte de choses : elle prend soin de la maison, se rend chaque semaine à Varsovie pour travailler dans un centre d'informations, elle enseigne aussi l'anglais dans un village voisin (Grzybów) et participe aux animations et aux sorties proposées par l'école de Bogna. Bogna a trois sœurs : Zuzanna et Zofia, des jumelles, âgées de cinq ans et Joanna, sept ans.

Une des granges de la ferme de Bogna

CHACUN CHEZ SOI
La maison de Bogna est toute en bois et peinte en bleu et jaune. Ses parents ont aménagé le grenier en chambre à coucher pour les filles et chaque sœur a son petit coin à elle. La partie réservée à Bogna est peinte en vert et celles de ses sœurs sont rouge, bleu et jaune.

Joanna est une sœur de Bogna. Elle adore les parties de cache-cache dans le noir.

DES CHAMPS ET DES FORÊTS
Autour de la ferme de Bogna, il n'y a que des terres agricoles plates et sans relief et des forêts de pins. Le printemps et l'été sont les saisons qu'elle préfère parce qu'il fait chaud et que la campagne est verdoyante. Elle aime aussi la neige en hiver. Elle se rend alors avec sa famille dans une clairière pour y faire des batailles de boules de neige.

L'ARCHE DE NOÉ
À la ferme il y a un troupeau de vaches, un taureau, un bouc, des poules, trois chiens et les chats sont si nombreux qu'il est impossible de les compter !

L'ÉGLISE DE BOGNA
Voici l'église catholique où Bogna se rend avec sa famille. Bogna fait partie de la chorale.

Bogna aime jouer avec Perle, son chat favori.

« Je ressens le besoin d'aller à l'église, même si quelquefois je m'y ennuie. »

Voici Bogna. Son nom se prononce « bog-na ».

Zofia

Ce chien, appelé Misza (prononce « mi-cha »), est le jouet favori de Bogna.

Bogna

« *Mon nom signifie " Fille de Dieu ". Je voudrais devenir professeur de biologie, je pourrais ainsi enseigner l'écologie aux enfants. Je pense que notre planète est merveilleuse, mais je suis inquiète. Les gens ne font pas attention à la nature, tout ce qui les intéresse, c'est l'argent. Ils doivent savoir que si nous détruisons tous les arbres, nous ne pourrons plus vivre. Je suis triste aussi quand j'entends parler de la guerre. Je trouve ça horrible. Et encore, j'aimerais rencontrer des enfants du monde entier.* »

« *Ewa est l'une de mes deux meilleures amies. Je l'aime beaucoup. Quand l'une de nous a des problèmes, elle se confie à l'autre.* »

Bogna aime jouer de la flûte à bec.

L'école de Bogna

Zuzanna

La plupart du temps, Bogna et ses sœurs portent des pantalons ou des caleçons. Mais pour les grandes occasions, lorsqu'elles sont invitées à un anniversaire par exemple, elles aiment mettre des robes ou des jupes.

« *Je pense que tous les animaux du monde sont utiles, même les mouches. Chaque animal a son rôle à jouer dans la nature.* »

Ceci est le cahier de polonais de Bogna. Sur cette page, elle parle d'un livre qu'elle a lu à l'école.

SUR LE CHEMIN DE L'ÉCOLE

L'école de Bogna se trouve à environ 5 km de la ferme. Tous les enfants du voisinage sont transportés dans une vieille remorque tirée par un tracteur. Ils appellent cette remorque la « Bonanza ». À l'école, Bogna étudie la biologie, l'histoire, le polonais et les mathématiques.

« *La flûte à bec, le piano, la danse et le chant sont mes passe-temps favoris. J'aime aussi fabriquer des objets, et plus particulièrement des masques et des marionnettes.* »

Marionnette

Bogna a fabriqué ce masque de sorcière qu'elle portera au carnaval.

Pain biologique fait par Peter

DE LA SOUPE AU DÎNER

Les parents de Bogna préparent différentes sortes de soupes aux légumes pour le dîner. La soupe qui plaît le plus à Bogna est celle à la tomate mais elle déteste la soupe aux champignons.

Soupe aux légumes

Du fromage de la ferme

29

Olia

Olia Maiorova a huit ans. Elle vit avec sa famille dans la banlieue de Moscou, qui est la capitale de la Russie. Olia suit des cours à l'École russe de danse classique. Lorsqu'elle quittera cette école, elle aura le niveau requis pour faire partie d'une compagnie de danseurs professionnels. La jeune sœur d'Olia, Dasha, espère elle aussi pouvoir entrer dans cette école quand elle sera plus grande.

Ceci est l'icône d'Olia. (Une icône est une peinture ou une gravure religieuse, le plus souvent exécutée sur bois.) L'un des personnages représentés, sainte Olga, est la sainte patronne d'Olia.

LE KREMLIN
Le centre de Moscou est occupé par une gigantesque citadelle fortifiée appelée le Kremlin (ci-dessus). À l'intérieur de cette citadelle, on peut admirer des palais, des cathédrales, des musées, des jardins et il y a le siège du gouvernement russe.

Ekaterina (à gauche) et Nikolai, les parents d'Olia

DE MAGNIFIQUES ÉGLISES
Les églises russes orthodoxes se caractérisent souvent par leurs dômes en forme de bulbe et leur décoration intérieure chargée. Olia se rend à cette église le samedi, le dimanche et lors des fêtes religieuses.

LES PARENTS D'OLIA
Le père d'Olia travaille dans une banque et sa mère s'occupe de la maison. Le soir, les parents d'Olia l'aident à faire ses devoirs. Le week-end, ils lisent des livres et jouent aux dames avec elle. Olia aide volontiers sa mère à la maison. Elle aime passer l'aspirateur.

UNE MAISON HAUT PERCHÉE
Olia vit dans un appartement au troisième étage de ce grand immeuble. Olia et Dasha partagent la même chambre. En raison de l'exiguïté du logement, elles enlèvent les draps de leur lit chaque matin et les rangent pour la journée. Elles refont leur lit le soir.

LE MÉTRO POUR ALLER À L'ÉCOLE
Voici l'école d'Olia, l'École russe de danse classique. Olia, accompagnée de sa mère, se rend à l'école en empruntant le métro. Elles mettent quarante-cinq minutes pour effectuer le trajet. Le matin, Olia étudie les mathématiques, le russe, l'anglais, le français et les arts. L'après-midi est consacré aux cours de danse.

RIEN DE MEILLEUR QU'UN *BLIN*
Les crêpes, appelées *blini* en russe, sont le plat préféré d'Olia. En revanche, elle déteste le chou. Olia aime boire du thé en mangeant.

Thé

Le livre d'exercices d'anglais d'Olia

Blini accompagnés de crème fraîche

L'alphabet russe est appelé alphabet cyrillique.

« J'aime avoir les cheveux détachés. Mais pour mes cours de danse, je dois me faire un chignon. »

Ce justaucorps a été cousu par la mère d'Olia.

« Je porte un justaucorps pour mes cours de danse classique. Mais j'aimerais mieux être en tutu. »

Les chaussons de danse d'Olia sont en toile. Elle les use très vite, et doit donc les remplacer toutes les deux semaines.

« J'adore porter des robes. Je n'aime pas les jeans, les pantalons ou les caleçons, et j'ai horreur de porter des collants de laine épais. »

Dasha a cinq ans.

Olia en caractère cyrillique. Le prénom Olia se prononce « oh-li-ah ».

Оля

« Mon véritable nom est Olga, mais tout le monde m'appelle Olia. J'ai toujours voulu être danseuse classique. Mon rêve serait d'interpréter le rôle de Masha, la petite fille dans le ballet Casse-Noisette. J'aimerais aussi être l'un des cygnes dans Le Lac des cygnes. L'année dernière, notre école a monté Casse-Noisette et je tenais le rôle d'une poupée. »

« Il fait très froid à Moscou en hiver. Il y a souvent beaucoup de neige. Quand je sors, je mets un manteau en peau de mouton et de grandes bottes pour avoir bien chaud. »

Olia et sa meilleure amie, Julia

« Julia est dans la même classe que moi à l'école. Nous aimons jouer au papa et à la maman, et nous répétons nos cours de danse ensemble. Souvent nous ne faisons rien d'autre que parler, la plupart du temps de danse, et parfois aussi des choses que nous aimons manger. Julia a elle aussi dansé Casse-Noisette sur une musique de Tchaïkovski. »

PARTOS, LE CHIEN
Les Russes, qui ont conservé le calendrier julien, fêtent Noël le 7 janvier, et ils s'offrent des cadeaux à la nouvelle année. Dans la nuit du 31 décembre, le Père la gelée apporte des cadeaux aux enfants. Cette année, Olia a reçu un chien en peluche nommé Partos. C'est son jouet favori.

Olia aime beaucoup peindre. Elle a copié ce dessin dans un livre de contes de fées.

« Voici ma petite sœur Dasha. Ensemble, nous aimons jouer au papa et à la maman. Nous tenons le rôle de la maman chacune notre tour. Quelquefois nous partageons nos jouets et parfois nous nous disputons parce qu'on ne veut pas se les prêter. »

Rachel

Rachel Hubert est âgée de neuf ans et habite dans le Sud-Ouest de la France. Elle vit dans une région appelée le Bordelais, dans un château qui appartient à sa famille depuis 1715. Celui-ci est entouré de vignobles. Toute la famille participe aux vendanges, le raisin cueilli est alors pressé pour donner du vin.

VIGNES ET VIGNOBLES

Des pieds de vigne bien alignés couvrent les collines et les vallées qui entourent la maison de Rachel. Le Bordelais figure parmi les régions qui produisent les meilleurs crus au monde. Les vins de Bordeaux portent le nom du château où ils sont mis en bouteille. Le vin de la famille de Rachel porte ainsi le nom de Château-Peybonhomme.

Rachel | Catherine | Jean-Luc

Guillaume

LA FAMILLE DE RACHEL

Les parents de Rachel se prénomment Jean-Luc et Catherine. Elle a également un frère de quatorze ans qui s'appelle Guillaume. Ils participent tous à l'entreprise familiale. Quand des visiteurs viennent au château pour acheter du vin, Rachel prend plaisir à leur distribuer des verres et à leur servir les différents vins pour qu'ils les goûtent.

Ces deux bouteilles de Château-Peybonhomme ont pour millésime 1944 (ci-dessus à gauche) et 1990 (à gauche). On appelle « millésime » l'année qui indique la date de mise en bouteille sur les étiquettes des vins de grands crus.

« Cette poupée est mon jouet favori. Elle a appartenu à mon arrière-grand-mère, elle est donc très vieille. Sa tête est en porcelaine. »

Rachel a obtenu cette récompense lors d'une exposition de peinture à laquelle elle a participé. Son tableau représente un bateau sur un lac (à droite).

Rachel

« Quand je serai grande, je voudrais être mannequin ou chanteuse. J'aime le rock et le jazz. J'aime aussi la gymnastique. Dans quelques années, j'espère participer à des compétitions. Si je gagnais, je monterais sur le podium pour recevoir ma médaille. »

CHATEAU PEYBONHOMME

Le château où vit Rachel est très ancien. Depuis quatre ans, sa famille travaille à remettre en état et à retapisser les seize pièces qui le composent. Rachel a une chambre pour elle toute seule dont les murs sont couverts d'affiches représentant son animal préféré : le chat.

Le classeur de géographie de Rachel

SILENCE, S'IL VOUS PLAÎT !

À l'école, Rachel apprend les mathématiques, le français, la géographie, l'histoire, la biologie, la physique, les arts plastiques et le sport. L'histoire et les mathématiques sont ses matières préférées. Elle n'aime pas les travaux pratiques car elle trouve que ces cours sont trop bruyants.

« J'aimerais avoir de longs cheveux, mais papa préfère que je les porte courts. »

« J'ai toujours rêvé de nager au milieu des dauphins. »

« J'aime porter des bijoux. J'ai acheté deux de mes bagues avec mon argent de poche. »

« J'aimerais porter mes bijoux à l'école, mais maman me dit toujours : "Enlève-moi ça, ce n'est pas fait pour l'école !" »

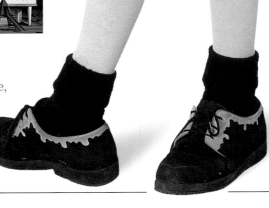

Le canard est le mets préféré de Rachel. Elle prend toujours de la salade au dîner.

Yannis

« La coupe de cheveux que j'ai choisie s'appelle " le chapeau " dans ma langue. Mes cheveux sont longs sur le dessus et courts sur le côté. »

« Mon petit frère Sotiris a quatorze mois. Il apprend à marcher. Je l'aide à se relever quand il tombe. »

Yannis Karagiannakis, âgé de six ans, habite dans une île grecque. Il vit en Crète dans la ville de Khaniá. Son père, Michaelis, est pêcheur. Quand Michaelis est en mer, la mère de Yannis, Constantina, s'occupe de la maison et de la famille.

LE PORT DE KHANIÁ

Khaniá ou La Canée, ancienne capitale de la Crète, a été fondée il y a plus de mille ans. Elle a été construite autour d'un port, où Michaelis amarre son bateau.

Irène   Michaelis   Constantina

Γιάννης

66 *Mon nom, Yannis, est un diminutif de Ioannis. Voici comment s'écrit Ioannis en grec. On m'a donné le nom d'un des apôtres du Christ (Ioannis signifie Jean en grec). Quand je serai grand, je voudrais entrer à l'Académie de marine pour devenir officier. Je rêve aussi de visiter Athènes.* 99

TOUS À LA PÊCHE

Yannis appelle son père et sa mère « Baba » et « Mama ». Irène, la grand-mère de Yannis, vient souvent leur rendre visite. Yannis l'a surnommée « Yaya ». Il aime aider son père à préparer ses lignes et ses filets. C'est lui qui attache les appâts sur les hameçons.

L'école de Yannis

LA MAISON DE YANNIS

Yannis habite une maison de plain-pied (ci-dessus). Derrière la maison, il y a une cour où poussent des roses et du jasmin ; des citronniers et des mandariniers, ainsi qu'une grande treille qui donne de l'ombre et protège du soleil brûlant de l'été.

Mandarine avec sa feuille

Le cahier de grec de Yannis.

L'ÉCOLE DE YANNIS

Yannis aime la lecture, le dessin et la musique. Il étudie aussi les mathématiques, le grec et la musique. Pendant la récréation, il joue au football ou à cache-cache.

DÎNER GREC

Le plat préféré de Yannis est un plat grec appelé *souvlaki* fait avec des morceaux de viande grillés sur une brochette.

Yannis est chrétien. Il va à l'église grecque orthodoxe Saint-Constantinos.

Le *souvlaki* est une galette roulée, *pita*, contenant de la viande grillée, des rondelles de tomate et d'oignon, et du fromage.

L'Afrique

L'Afrique comprend des régions au climat et au paysage très variés : plusieurs déserts où il ne pleut presque jamais, mais aussi de vastes forêts où la pluie tombe chaque jour. D'énormes crocodiles nagent dans le Nil, le plus long fleuve du continent, tandis que des troupeaux d'éléphants, de girafes et de zèbres parcourent les savanes. L'Afrique compte cinquante-deux pays et d'immenses villes comme Le Caire ou Accra.

Boîte aux lettres marocaine

Poisson et tomates du Ghana

Billets de banque tanzaniens

Maroc
Désert du Sahara
Égypte
Nil
Éthiopie
Ghana
Tanzanie
Le fleuve Congo
Botswana

LES AFRICAINS
De nombreux Africains vivent en communautés villageoises traditionnelles aux coutumes inchangées depuis des milliers d'années. D'autres habitent les villes. Les enfants de ce chapitre ont différentes façons de vivre. Ils habitent l'Égypte, le Botswana, le Ghana, le Maroc, la Tanzanie et l'Éthiopie.

De grands papillons colorés vivent dans les forêts équatoriales d'Afrique.

LE SAHARA
Le désert du Sahara à gauche est le plus grand du monde et couvre près du tiers de l'Afrique. Dans ce paysage aride, les températures peuvent dépasser 50 °C.

L'ÉGYPTE ANCIENNE
Voici des milliers d'années, les anciens Égyptiens ont construit d'imposants monuments comme le Sphinx et les pyramides.

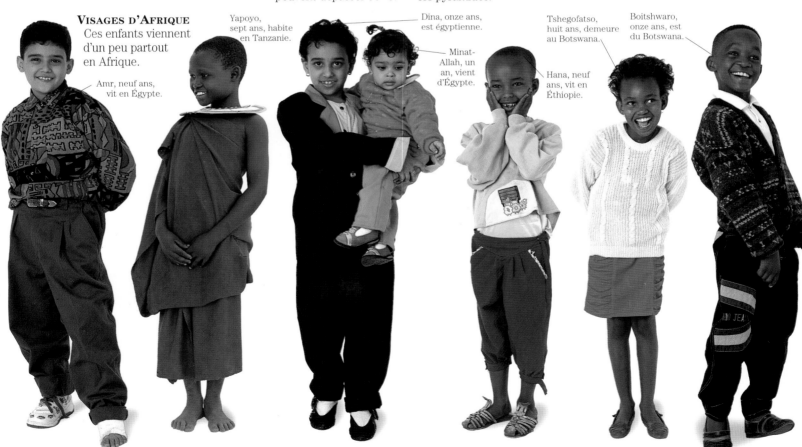

VISAGES D'AFRIQUE
Ces enfants viennent d'un peu partout en Afrique.

Amr, neuf ans, vit en Égypte.

Yapoyo, sept ans, habite en Tanzanie.

Dina, onze ans, est égyptienne.

Minat-Allah, un an, vient d'Égypte.

Tshegofatso, huit ans, demeure au Botswana.

Boitshwaro, onze ans, est du Botswana.

Hana, neuf ans, vit en Éthiopie.

ENFANTS D'AFRIQUE

Voici les enfants que tu vas rencontrer dans ce chapitre. Ils vivent en Égypte, au Botswana, au Ghana, au Maroc, en Tanzanie et en Éthiopie.

Mohammed demeure au Caire (p. 36).

Bakang habite au Botswana (p. 37).

Aseye réside à Accra, capitale du Ghana (p. 38-39).

Houda est marocaine (p. 40-41).

Esta vit en Tanzanie (p. 42-43).

Tadesse est d'Addis-Abeba (p. 44-45).

NETTOYEURS AILÉS

Les vautours sont des charognards. Ils planent dans le ciel africain en scrutant le sol et se nourrissent de cadavres d'animaux.

PRAIRIES TROPICALES

Les plaines herbeuses d'Afrique (ci-dessous) s'appellent la savane. Elles abritent une vie très variée et surtout d'immenses troupeaux de gnous et de zèbres qui migrent chaque année sur de longues distances à la recherche d'herbe fraîche. La savane est parsemée d'arbres dont l'ombre protège les animaux et les hommes de l'ardeur du soleil.

Bananes plantains

Taxi ghanéen

LES FORÊTS ÉQUATORIALES

L'Afrique possède d'immenses forêts pluviales dont les grands arbres forment une canopée empêchant la lumière d'atteindre le sous-bois. Dans ces forêts équatoriales, il fait toujours chaud et le taux d'humidité est élevé. Les Pygmées y vivent de chasse et de cueillette.

LE FLEUVE ET SES FORÊTS

Le fleuve Congo (à gauche) traverse les forêts d'Afrique centrale avant de se jeter dans l'océan Atlantique après un trajet de plus de 4 000 km. Ces forêts sont peuplées de gorilles et de chimpanzés, d'oiseaux et d'insectes aux couleurs vives.

GÉANTS DES SAVANES

Pouvant peser six tonnes, l'éléphant d'Afrique est le plus gros animal terrestre. Il vit dans de nombreux pays africains dont la Tanzanie et le Botswana. Depuis de nombreuses années, il est massacré pour l'ivoire de ses défenses.

FÉLINS

Le lion à droite traque ses proies à travers la savane. Il vit en hardes.

Bus éthiopien

Panier marocain

Dina, dix ans, vit en Égypte.

Nicodemu, huit ans, habite en Tanzanie.

Tumaini, quinze ans, réside en Tanzanie.

Iman, huit ans, vit au Maroc.

Zenebech, neuf ans, est éthiopien.

Adissu, douze ans, vit en Éthiopie.

Mohammed

Mohammed Abdallah a neuf ans et vit avec sa famille au Caire, la capitale très animée de l'Égypte qui compte plus de douze millions d'habitants. Comme la plupart des Égyptiens, la famille de Mohammed est musulmane. Le père de Mohammed est employé de bureau et sa mère s'occupe de la maison et de sa famille.

LES PYRAMIDES

Il y a près de 5 000 ans, les anciens Égyptiens élevaient des pyramides qui sont les tombeaux des Pharaons. Celle-ci se trouve à Gizeh, non loin du Caire.

Olfat, la mère de Mohammed

Ahmed, le père de Mohammed

« Le ballon que Baba m'a offert est l'objet auquel je tiens le plus. »

❝ Voici comment j'écris mon prénom en arabe. Je porte le nom du prophète Mohammed (Mahomet) *et mon nom de famille signifie " Esclave de Dieu ". Quand je serai grand, je veux être policier pour aider mon pays. Je voudrais aussi parcourir le monde. ❞*

LA FAMILLE DE MOHAMMED

Son père se nomme Ahmed et sa mère Olfat. Mohammed les appelle « Baba » et « Mama ». Le prénom de son petit frère est Imad et celui de sa petite sœur Minat-Allah.

Mohammed voit la mosquée de la citadelle (Mohammed-Ali) quand il visite le centre du Caire.

AU MARCHÉ

Un marché, bruyant, se tient près de chez Mohammed. Les gens vendent leurs produits dans la rue et les protègent du soleil avec des parasols colorés. Mohammed aime Le Caire mais souhaiterait qu'il y circule moins de voitures. Il explique que de cette façon, il y aurait moins de pollution.

À L'ÉCOLE

Mohammed reçoit des cours d'instruction civique, d'arabe classique, d'anglais et de mathématiques. Les Égyptiens écrivent l'arabe classique mais celui qu'ils parlent est différent.

Kouchari

Le manuel d'arabe de Mohammed

Mohammed

LA NOURRITURE

Mohammed mange souvent un plat égyptien traditionnel, le *kouchari*. Il est fait de riz, de nouilles, de sauce tomate et d'oignons. Les fraises sont le mets préféré de Mohammed.

Le meilleur ami de Mohammed, Mahmoud

Voici Minat-Allah. Elle n'a qu'un an.

Bakang

Bakang Gabankalafe a huit ans. Elle vit avec sa famille à Tshabong, un village du Botswana, au sud de l'Afrique. Bakang a toujours vécu là. C'est une région à l'écart, au bord du désert du Kalahari, vaste plaine aride à 1 300 m d'altitude. Les jours sont brûlants, secs et poussiéreux mais les nuits peuvent être très froides.

« Mes cheveux sont courts. Ma sœur Keoshebile me les coupe. »

« J'aime chanter des cantiques à l'église. Je les appelle les chants du dimanche. »

Mosadiwamosasa (ci-dessus) porte un foulard pour protéger ses cheveux de la poussière et du vent.

“ *Mon prénom signifie " Louange ". Plus tard, je serai infirmière. Je souhaite me marier et avoir une grande maison, avec deux enfants, un garçon et une fille. Tous les jours, je vais chercher de l'eau avec ma mère.* **”**

LA FAMILLE DE BAKANG
Le père de Bakang, Piet, s'occupe d'un troupeau de vaches. Sa mère, Mosadiwamosasa, ramasse du bois pour le feu, de la bouse pour réparer la maison et puise l'eau.

Voici Bakang avec sa meilleure amie Kaelo (au centre) et sa nièce Koeagile (à droite).

LA MAISON DE BAKANG
La famille et les proches de Bakang habitent dans un groupe de maisons de boue et de bouse séchées avec un toit de chaume (herbe sèche). Quatre personnes vivent avec Bakang. Sa mère, ses sœurs Keoshebile et Obitseng, et sa nièce Koeagile. Les maisons n'ont pas l'électricité et, la nuit venue, on allume les lampes à pétrole. Bakang trouve sa maison très belle.

Ragoût de bœuf aux épinards et à la bouillie

Dans ce cahier, Bakang écrit des mots en setswana, la langue principale du Botswana. À la maison, elle parle le sengologa, la langue de sa tribu, les Bangologa.

LA NOURRITURE
Peu de plantes peuvent supporter le désert si bien que les parents de Bakang n'en cultivent pas. Ils achètent toutes leurs provisions à Tshabong. Le plat préféré de Bakang est fait de viande et de riz. La famille consomme beaucoup de bouillie de maïs.

« C'est ma robe préférée. Je la mets pour aller à l'église le dimanche et parfois à l'école. »

L'ÉCOLE DE BAKANG
Bakang aime l'école car elle y retrouve tous ses amis. Elle est située à moins d'un kilomètre et Bakang y va à pied. En classe, les enfants apprennent la lecture, l'écriture et les mathématiques.

« Je porte toujours des chaussures à l'école mais, chez moi, j'aime mieux être pieds nus. »

Aseye

LES MAISONS AU GHANA
Voici la maison de l'oncle d'Aseye. Beaucoup de Ghanéens habitent des maisons comme celle-ci, en ciment, avec un toit peu épais. Aseye vit dans un petit immeuble. Elle l'aime car il est propre et tranquille. Sa famille a la télévision et le film préféré d'Aseye est la comédie musicale *The Sound of Music*.

Aseye Renate Ahadzie a sept ans et vit à Accra, la grande capitale animée du Ghana, en Afrique de l'Ouest. Accra est sur la côte, au bord de l'Atlantique, et il y fait très chaud toute l'année. Heureusement, une brise adoucit un peu le climat. Aseye vit avec ses parents et ses deux sœurs dans un appartement en ville. Son père, William, travaille au ministère de l'Éducation. Il a également un nom ghanéen, Kofi. La mère d'Aseye, Sika, est professeur à l'Institut de journalisme. Elle s'occupe aussi d'un magasin le soir.

« J'aimerais aller à Londres, en Grande-Bretagne. Il y fait froid et il neige. Je n'ai jamais vu la neige. »

William   Sika

Fiam

Aseye

LA FAMILLE D'ASEYE
Voici le père d'Aseye, William, et sa mère, Sika. Aseye a deux sœurs : Fiam, onze ans et Yena, quatre ans. Aseye aide souvent sa maman à la maison et au magasin. La famille n'a aucun animal mais Aseye voudrait un chat et un chiot.

« Voici ma petite sœur Yena. Je lui fais parfois des tresses. Elle porte sa robe rouge à pois préférée. »

L'ÉGLISE D'ASEYE
Comme beaucoup de Ghanéens, Aseye est chrétienne. Elle fréquente cette église avec sa famille. Elle aime chanter des cantiques et croit qu'à sa mort, son âme ira au paradis.

Des plantes colorées, comme cet acacia, poussent sous le climat tropical du Ghana.

LE MAGASIN DE SIKA
Voici la boutique que la mère d'Aseye ouvre le soir, après son travail : on y trouve de la nourriture et des produits d'entretien.

Aseye

Le prénom Aseye se prononce « a-sè-yè ».

" *Mon prénom, Aseye, signifie "Réjouis-toi". Je voudrais devenir médecin : j'adore étudier le corps humain en cours de biologie. J'aimerais aussi épouser un homme riche et beau. Je trouve que le monde va bien mais je voudrais qu'il soit plus propre.* "

« Certains animaux sauvages m'effraient, comme les éléphants. S'ils vous marchent dessus, vous devenez tout plat. »

« Voici mon cousin Sesi. Il n'a que deux ans. Son père est potier. »

L'ÉCOLE D'ASEYE

Aseye apprécie l'école car elle trouve le travail intéressant. Ses parents l'y accompagnent en voiture. Ses matières préférées sont la biologie, le dessin et l'écriture. Elle porte un uniforme jaune et marron et des chaussures de sport. Sa meilleure amie, Naaku Allotey, est à gauche sur la photo. Elles adorent jouer ensemble.

Aseye a écrit une leçon de français sur la page de gauche de son cahier.

Le jouet préféré d'Aseye est cette poupée nommée Maetta. L'un des livres favoris d'Aseye est *Le Rat des villes et le Rat des champs*.

Ce légume est une sorte d'épinard. Les Ghanéens en mélangent les feuilles avec de l'huile de palme pour faire une sauce appelée *kontonmire*. La famille d'Aseye en mange souvent avec des bananes plantains bouillies.

LA NOURRITURE

Le plat favori d'Aseye est le *banku*, fait de bouillie de blé et de manioc (une racine comestible). Elle mange aussi beaucoup de bananes plantains frites ou bouillies, de riz, de poisson et des arachides. Elle affirme que les légumes variés lui chatouillent la gorge !

Assiette de légumes variés

Les bananes plantains sont moins sucrées que les bananes que nous connaissons.

L'ONCLE D'ASEYE

Peter, l'oncle d'Aseye à droite, est potier. Il tourne des pots d'argile puis les cuit dans un four spécial pour les faire durcir. Sesi est le fils de Peter.

Houda

Houda Elazhar a dix ans et vit avec sa famille au Maroc, au nord-ouest de l'Afrique. Elle habite Salé, ville située à l'embouchure du fleuve Bou Regreg sur la côte atlantique, juste à la sortie de Rabat, la capitale marocaine. La famille de Houda vit dans l'ancienne citadelle fortifiée appelée la médina. Son père travaille pour le gouvernement et sa mère est femme au foyer. La famille de Houda est musulmane. L'Islam est la principale religion du royaume chérifien.

Le prénom de Houda se prononce « houde-ah ».

La petite sœur de Houda, Iman, a sept ans.

LA MAISON DE HOUDA

La famille de Houda habite une maison de style traditionnel marocain. Les pièces donnent sur une grande cour dont les murs et le sol sont recouverts de carreaux. Les passages voûtés et décorés situés autour de la cour mènent aux chambres réparties sur plusieurs étages. La cour est la partie de la maison que Houda préfère.

Sellamia, la mère de Houda

Ahmed, le père de Houda

Comme la majorité des femmes musulmanes, Sellamia garde la tête nue chez elle mais se couvre lorsqu'elle sort.

Sellamia porte les vêtements traditionnels marocains. Sa longue robe s'appelle un caftan.

Ce caftan est brodé au col et aux poignets.

Ces chaussures s'appellent des babouches.

Cette jolie décoration, rappelant la dentelle, est typique du style mauresque (le style traditionnel marocain).

LA MOSQUÉE
Voici l'entrée de la mosquée où la famille de Houda va prier. Les musulmans prient cinq fois par jour, chez eux ou à la mosquée, et la plupart s'y rendent le vendredi, jour réservé à la prière. Le livre sacré des musulmans est le Coran. Pour les musulmans, il contient la parole d'Allah, Dieu en arabe, telle que l'a révélée le prophète Mahomet qui répandit la foi islamique.

LA FAMILLE DE HOUDA
Le père de Houda se prénomme Ahmed et sa mère Sellamia. Houda a deux frères, Younés et Ayoub, et deux sœurs, Fatima et Iman. Les parents de Houda portent souvent des vêtements traditionnels marocains. Les enfants mettent en général des jeans et des chemises.

Fatima a douze ans.

Younés a quinze ans.

SALÉ
La vue s'étend sur les toits plats de Salé. Les maisons sont peintes en blanc pour réfléchir la lumière du soleil et conserver la fraîcheur à l'intérieur. D'étroites rues longent les maisons. Salé est une ville très ancienne qui existait déjà à l'époque romaine.

« Iman porte sa robe rose préférée. Mon père choisit et achète tous nos vêtements. »

« Les chaussures d'Iman sont presque comme les miennes. »

« Ma mère me coiffe. Aujourd'hui, j'ai les cheveux tirés en arrière. »

« Cette veste ocre et noire est mon vêtement préféré. »

« Ceci est mon prénom, Houda, écrit en arabe. Il signifie " Conseils ". J'aime tout au Maroc, surtout la mer et la montagne. Le temps est toujours agréable ici. Il y a quatre saisons mais l'hiver est moins froid que dans beaucoup de pays. Une fois grande, je veux enseigner l'arabe et épouser un homme qui aime les études comme moi. J'aimerais n'avoir qu'un enfant. J'ai vu à la télévision les nombreuses guerres à travers le monde ; je souhaite qu'elles se terminent et que la paix dure. »

Voici quelques-uns des carreaux qui ornent le sol de la maison de Houda. Les murs et le sol des maisons marocaines sont souvent carrelés.

Ceci est le cahier de Houda. On y voit l'écriture arabe que Houda est en train d'apprendre.

L'ÉCOLE DE HOUDA

À l'école de Houda, les élèves jouent dans une grande cour de récréation décorée de fleurs. Houda apprend l'arabe et le français (largement parlé au Maroc), la lecture, la grammaire, les mathématiques et la religion. Elle n'aime pas la grammaire mais elle adore lire, car les bonnes histoires lui plaisent.

Plat marocain à tajine

LA NOURRITURE

Chez Houda, on mange souvent du tajine, un plat de viande ou de poisson aux légumes. Ce plat porte le nom du récipient en terre où on le fait cuire. Le plat préféré de Houda est le poulet-frites. Elle prépare parfois les frites toute seule.

La mère de Houda se sert de feuilles de menthe quand elle prépare le thé.

« Mon petit frère, Ayoub, a deux ans. »

Ces petits gâteaux marocains portent le nom français de « mille trous » ce qui leur va très bien !

Friandises marocaines

Esta

Esta a douze ans et fait partie du peuple massaï d'Afrique de l'Est. Elle vit à Sanya Station en Tanzanie. Traditionnellement, les Massaïs sont des nomades qui se déplacent en quête de pâturages pour leur bétail. Mais à notre époque, de nombreux Massaïs, comme la famille d'Esta, sont sédentaires.

SANYA STATION
Le paysage autour de Sanya Station ressemble à ceci. La savane est riche d'animaux de toute sorte : lions, panthères, éléphants et rhinocéros. Au fond se dresse le Kilimandjaro, le plus haut sommet d'Afrique.

LA MAISON D'ESTA
Les communautés massaïs habitent un groupe de huttes appelé un *enyang'*, ce qui signifie « propriété ». Les huttes sont disposées en cercle autour d'un espace pour les bêtes. La famille d'Esta possède dix vaches, des chèvres, des moutons et des ânes. Sa hutte est faite de poteaux de bois recouverts de bouse séchée, avec un toit d'herbe.

Lydia est la plus jeune sœur d'Esta.

Les enfants massaïs ont le haut des oreilles et le lobe percés. Lydia a fixé ces bijoux en haut de ses oreilles.

Lydia porte un petit collier car elle est jeune.

LA FAMILLE D'ESTA
La plupart des Massaïs ont plus d'une femme. Le père d'Esta, Ngidaha, a deux épouses. Sa mère, Swelali, vit dans une hutte avec ses enfants. L'autre femme de son père, Véronica, vit dans une autre hutte avec ses propres enfants. Esta a deux frères et une sœur et plusieurs demi-frères et demi-sœurs. Son père s'occupe des animaux et sa mère ramasse le bois, puise l'eau et s'occupe de la maison.

La mère d'Esta se nomme Swelali. Esta l'appelle « Mama ».

Les Massaïs portent des vêtements aux couleurs vives, les *rubeka*.

Hommes et femmes portent des bracelets.

Le père d'Esta, Ngidaha, porte un chasse-mouches en poils. Il tient aussi un petit bâton pour montrer qu'il est un ancien.

Les Massaïs fabriquent eux-mêmes leurs sandales, les *manuka*.

Véronica est l'autre femme de Ngidaha. Esta l'appelle aussi « Mama ».

La coiffure de Tumaini indique qu'elle est en âge de se marier.

Esta

Tumaini, la demi-sœur d'Esta, est âgée de quinze ans.

Yapoyo, une autre demi-sœur d'Esta, a sept ans.

Daniel, le plus jeune frère d'Esta, a cinq ans.

L'ÉGLISE D'ESTA
Esta est chrétienne et va à l'église en famille chaque dimanche. L'église de Sanya Station est proche de l'*enyang'* d'Esta.

Une tradition massaï veut que le crâne des femmes soit rasé. Esta a été rasée par sa mère ce matin.

Chacun des colliers colorés d'Esta est fait de centaines de perles.

« J'ai peur des lions. Je n'en ai jamais vu mais j'en ai souvent entendu parler. »

« Je porte un uniforme à l'école mais de retour chez moi, je mets ma rubeka. Bien que la rubeka soit confortable, je préfère mon uniforme parce que je le trouve beau. »

Esta

« Esta est mon prénom chrétien mais ma famille m'appelle Neng'otonye, " La fille préférée de ses parents ". Plus tard, je veux être professeur. J'aimerais me marier et avoir cinq enfants. Je ris tout le temps car je suis toujours heureuse. Mais je n'aime pas aller chercher l'eau chaque jour. Cela fait 6 km. Parfois, il y a la sécheresse, l'eau est mauvaise et tout ce qu'on a planté meurt. »

LES AMIS D'ESTA
Voici quelques amies d'Esta. Sa meilleure amie, Manka, est la deuxième à partir de la gauche. Esta l'aime bien parce qu'elle partage avec elle. Parfois, elles vont au magasin de bonbons et mettent en commun leurs achats.

« Voici mes affaires de classe. Comme vous le voyez, nous apprenons le swahili. »

L'ÉCOLE D'ESTA
Esta apprend à compter et à écrire à l'école. Les professeurs s'expriment en swahili, la langue la plus parlée en Tanzanie. À la maison, Esta parle le massaï, la langue de son peuple. Elle doit marcher un kilomètre pour se rendre à l'école.

0	sifuri		5	tano
1	moja		6	sita
2	mbili		7	saba
3	tatu		8	nane
4	nne		9	tisa

JEUX ET JOUETS
Esta fabrique des jeux et des modèles réduits en argile. Elle aime aussi jouer à chat. Elle se fabrique une balle en entourant d'herbes une tomate sauvage.

COLLIERS
Les femmes massaïs portent des colliers de perles multicolores. Le type de collier dépend de leur âge.

L'engurma est une bouillie de maïs.

LA NOURRITURE
Esta et sa famille prennent leurs repas avec l'autre femme de son père et ses enfants. Ils mangent une bouillie, l'engurma, aliment très répandu en Afrique de l'Est. Ils consomment aussi de la viande et des haricots, et boivent le lait de leurs vaches.

Haricots

Esta mange sa bouillie à l'école.

Esta porte des tennis à l'école et à l'église. Le reste du temps, elle met des sandales.

Tadesse

Tadesse Assefa a neuf ans et vit à Addis-Abeba, la capitale de l'Éthiopie, au nord-est de l'Afrique. Son père est décédé et sa mère n'est pas en assez bonne santé pour s'occuper de ses enfants. Tadesse et trois de ses quatre sœurs vivent donc dans un orphelinat. Cet établissement est dirigé par une femme nommée Abebech Gobena, qui l'a fondé en 1980. Cette année-là, Abebech a quitté sa propre maison pour s'occuper de vingt et un enfants victimes de la famine en Éthiopie. À présent, l'orphelinat abrite plus de cent enfants. Abebech dirige aussi une école pour les orphelins et deux cents enfants du quartier.

L'ORPHELINAT

Tadesse vit à l'orphelinat depuis l'âge de cinq ans. Il partage un dortoir avec dix autres enfants. Il aime beaucoup son lit équipé d'une lampe, ce qui lui permet de lire ou de faire ses devoirs. L'orphelinat donne à Tadesse la nourriture, les vêtements et tout ce dont il a besoin. Il aime bien vivre ici. Les enfants appellent « mères » les femmes qui s'occupent d'eux.

Ceci est le symbole de l'orphelinat d'Abebech Gobena.

Voici Abebech Gobena, la fondatrice de l'orphelinat. Avant sa construction, Abebech s'est occupée des enfants dans un ancien poulailler pendant six ans.

LA FAMILLE DE TADESSE

Tadesse a quatre sœurs. L'aînée a dix-huit ans et travaille à la campagne. Ses autres sœurs sont Azeb, Worknesh et Zenash. Elles vivent aussi dans l'orphelinat. Tadesse dit que pour lui, la personne la plus importante au monde est Abebech Gobena. Tadesse n'a pas de frère mais il considère les garçons de l'orphelinat comme ses frères.

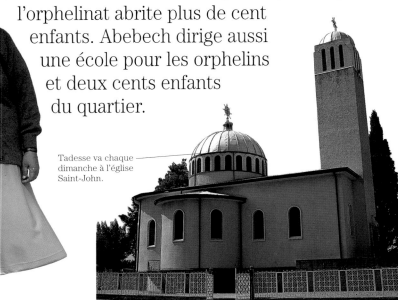

Tadesse va chaque dimanche à l'église Saint-John.

L'ÉGLISE DE TADESSE

Tadesse est chrétien et voici l'église où il va le dimanche. Tadesse prie chaque soir et pense que Dieu a fait de l'orphelinat un lieu de paix. Tadesse croit que les morts ressusciteront au jour du Jugement dernier. Il croit aussi que ce jour-là, Dieu séparera les bons des méchants. Les bons iront au paradis, les méchants en enfer.

Worknesh a douze ans.

Azeb est âgée de quatorze ans.

Cette inscription signifie : « L'élève Tadesse Assefa a reçu ce diplôme pour son bon travail. Il lui est remis avec les remerciements de l'orphelinat. »

LE DIPLÔME DE TADESSE

Tadesse a reçu un prix, il y a peu de temps, pour son travail scolaire et on lui a remis ce diplôme. Il apprend les mathématiques, l'amharique, la langue principale en Éthiopie, l'anglais, l'instruction civique, les sciences et la musique. Tadesse aime les mathématiques car il a compris que s'il ne sait pas bien compter il risque d'être volé par les commerçants. Il aime aussi l'anglais parce qu'il pense que cela lui servira dans l'avenir. Tadesse et ses camarades font aussi du sport à l'école.

Avec la *shorba*, les enfants mangent un pain appelé *dabo*.

LES REPAS À L'ORPHELINAT

Abebech Gobena possède une ferme près d'Addis-Abeba. Elle produit l'essentiel de la nourriture nécessaire à l'orphelinat. Le grain est moulu à l'orphelinat dans un centre spécial où l'on fait la cuisine (ci-dessus). Les plats sont chaque jour différents. Le jeudi, les enfants mangent la *shorba*, une soupe de pommes de terre, de pois et de lentilles.

Shorba

Zenash est la plus jeune sœur de Tadesse. Elle a six ans.

Zenash porte son pull préféré et une jupe en jean. L'orphelinat achète ou fabrique tous les habits des enfants.

Tadesse se prononce « tad-è-sseï ».

« Je porte ce collier noir autour du cou car je suis chrétien. Il montre que j'ai été baptisé. »

" *Voici comment j'écris mon prénom, Tadesse. Quand je serai grand, je voudrais faire quelque chose d'important et de bon pour les gens. J'aurai donc peut-être une profession médicale, ou bien je serai professeur ou ingénieur. Mon souhait est que le monde soit en paix afin que les enfants vivent sans crainte. J'ai peur de la guerre ; elle détruit tout : les forêts et les animaux et les gens n'ont plus rien à manger.* "

« J'ai mis mon survêtement préféré. J'aime porter des vêtements chauds à manches longues. Il fait très froid ici le soir bien qu'il fasse très chaud dans la journée. »

LES JOUETS DE TADESSE
Chaque matin, lorsque le personnel fait les lits des enfants, il range les peluches dessus. Cet ours tricoté est le jouet favori de Tadesse. Tadesse aime jouer au football avec ses amis et regarder des films et des émissions musicales à la télévision. Il aime aussi lire des livres sur l'Éthiopie.

L'AMI DE TADESSE
Tadesse est ici avec Adissu, son meilleur ami. Adissu a deux ans de plus que lui. Quand Tadesse a des devoirs difficiles, Adissu l'aide.

« C'est mon cahier de mathématiques. Il est écrit en amharique, la langue que j'écris et que je parle. »

« J'aime porter des chaussures de sport avec mon survêtement. »

45

L'Asie

Lanterne
japonaise

Un repas
indien

Boîte aux
lettres
coréenne

L'Asie est le plus grand continent du monde. Situé principalement dans l'hémisphère Nord, il s'étend des terres glacées de la Sibérie, au nord, aux forêts tropicales de l'Indonésie, au sud. Entre ces extrêmes, on trouve des régions parmi les plus hostiles de la planète. Les territoires au centre de ce continent connaissent des étés torrides et des hivers très rigoureux.

LA POPULATION

Plus des deux tiers de la population mondiale vit en Asie, répartis entre une quarantaine de pays, où prévalent les cultures et les langues les plus diverses. Les Asiatiques habitent des environnements très variés, depuis les royaumes himalayens les plus reculés aux villes surpeuplées de l'Inde et de la Chine. Les enfants présentés dans ce chapitre viennent de Chine, de Mongolie, du Japon, de Corée du Sud, d'Inde, d'Israël et de Jordanie.

La Fédération de Russie (17 075 000 km²) est le plus grand pays du monde. Elle s'étend à la fois en Europe et en Asie.

La Sibérie est cette grande région très froide au nord de l'Asie.

LE PAYS DES NEIGES

La chaîne de l'Himalaya, que l'on appelle aussi le « toit du monde », culmine à 8 846 m avec le mont Everest (à gauche). En népalais, Himalaya signifie « Pays des neiges ».

L'Asie est le domaine du tigre. Mais aujourd'hui, ce gros chat magnifique est une espèce en voie de disparition. Son habitat naturel a été détruit en grande partie ; en outre, en raison de leur fourrure, ces félins sont très recherchés par les braconniers.

PAYSAGE CHINOIS

La Chine est le troisième pays du monde par sa superficie (9 600 000 km²). Le nombre de ses habitants dépasse le milliard, ce qui signifie qu'un être humain sur cinq vit dans ce pays. Montagnes, déserts, forêts… les paysages chinois varient à l'infini. En Chine du Sud, la ville de Guilin (à droite) s'étale au pied d'abruptes collines calcaires.

LES VISAGES DE L'ASIE

Ces enfants viennent d'un peu partout sur le continent asiatique.

Natsuke, cinq ans, vit au Japon.

Zein, sept ans, habite en Jordanie.

Shi, huit ans, vient d'Israël.

Wang Xiang Yi, neuf ans, est chinoise.

Mendbayar, neuf ans, vit en Mongolie.

Park Jin-Joo, onze ans, réside en Corée du Sud.

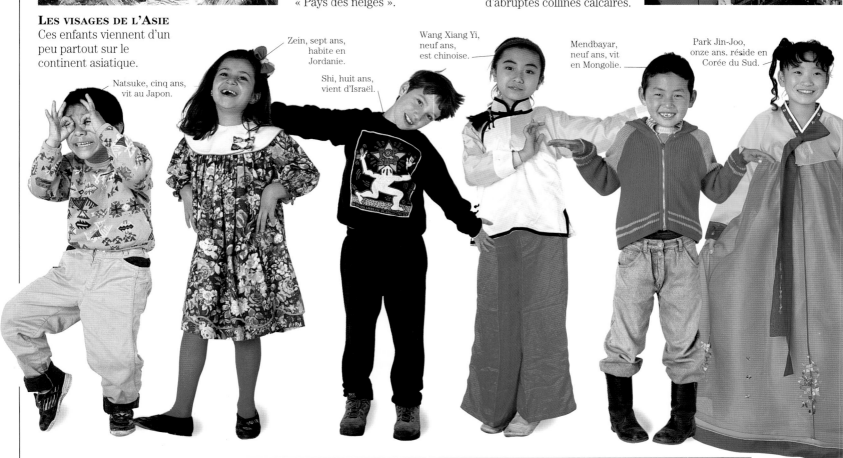

LES ENFANTS DE L'ASIE

Voici les enfants asiatiques que tu vas rencontrer dans ce chapitre. Ils vivent en Extrême-Orient, en Inde et au Moyen-Orient.

Guo Shuang habite en Chine (p. 48-49).

Erdene vit en Mongolie (p. 50-51).

Yong-Koo et Ji-Koo demeurent en Corée du Sud (p. 54-55).

Daisuke est japonais (p. 52-53).

Meena vit dans le nord de l'Inde (p. 56-57).

Sarala vient du sud de l'Inde (p. 58-59).

Michaël vit en Israël (p. 60-61).

Sabah est jordanienne (p. 62-63).

LA MONTAGNE SACRÉE

Le mont Fuji (à gauche), au Japon, s'élève à 3 776 m. Pour les Japonais, cet ancien volcan est sacré ; sa dernière éruption date de 1707. Le Japon se trouve dans une région très instable de la croûte terrestre ; éruptions volcaniques et tremblements de terre y sont fréquents.

LES GRANDES VILLES

Beaucoup de villes de l'Extrême-Orient débordent de monde, comme Pékin (la capitale de la Chine) et Séoul (la capitale de la Corée du Sud). Leur population croît sans cesse. Dans l'agglomération urbaine de Tokyo (à gauche), la capitale du Japon, vivent environ 40 millions de personnes. Aux heures de pointe, le métro de Tokyo est si bondé que des employés sont chargés de pousser les gens pour les faire entrer dans les wagons.

Chapeau mongol

Un poisson, Inde

Statue de lion, Mongolie

Billet de banque chinois

LE TADJ MAHALL

Le Tadj Mahall (à droite) est à Agra, dans le nord de l'Inde. C'est un mausolée (un grand tombeau) du XVIIe siècle bâti en marbre blanc par l'empereur Chah Djahan à la mémoire de son épouse, Mumtaz Mahall.

LIEU SAINT

La Mecque, en Arabie Saoudite est une ville sacrée pour les musulmans : c'est là qu'est né le prophète Mahomet. Les musulmans essaient d'aller en pélerinage à La Mecque, le *hadj*, au moins une fois dans leur vie.

V. Harish, huit ans, vit en Inde.

Nerguitsetseg, dix ans, habite en Mongolie.

Omar, sept ans, est de Jordanie.

T. Swapna, dix ans, est indienne.

Yuang Shuai, onze ans, réside en Chine.

Hana, sept ans, vit au Japon.

Sim Ki-Seop, onze ans, demeure en Corée du Sud.

Guo Shuang

Guo Shuang a neuf ans. Elle vit avec ses parents et ses grands-parents dans la banlieue de Pékin, la capitale de la Chine. Pékin, dont le nom signifie « Capitale du nord », est au nord-est de la Chine. C'est une ville immense, une véritable fourmilière humaine de plus de dix millions d'habitants. Les parents de Guo Shuang travaillent tous les deux dans une banque. Les Chinois mettent leur nom de famille en premier et leur prénom en second. Guo est son patronyme. Quand on s'adresse à quelqu'un, on utilise généralement ses nom et prénom, et Shuang est appelée Guo Shuang.

LA GRANDE MURAILLE
Depuis les rivages chinois jusqu'aux déserts d'Asie centrale, la Grande Muraille de Chine s'étire sur plus de 5 000 km. Destinée à repousser les envahisseurs venus du Nord, sa construction a commencé au IIIe siècle av. J.-C. Elle fut reconstruite au XVe siècle, à l'époque de la dynastie Ming. Cette partie des remparts est à environ 70 km de Pékin.

« Voici mon jouet préféré. Je joue à la " maison " avec lui. Ce sont mes parents qui me l'ont offert ; il n'a pas de nom. »

Li Xiao Dong, la mère de Guo Shuang

Guo Jing Dong, le père de Guo Shuang

Sun Pei Lan, la grand-mère de Guo Shuang

Voici Pékin. Tong Xian (prononcer « tong chi-en »), où habite la famille de Guo Shuang, est dans la banlieue de Pékin.

Guo Yan, le grand-père de Guo Shuang

Les grands-parents de Guo Shuang portent des vêtements traditionnels.

Guo Shuang

LA FAMILLE DE GUO SHUANG
Guo Shuang appelle ses parents « Baba » et « Mama », son grand-père « Ye Ye » et sa grand-mère « Nai Nai ». Comme la plupart des enfants chinois, Guo Shuang n'a ni frère ni sœur. Plus d'un milliard de personnes vivent en Chine et le gouvernement est inquiet de savoir s'il y aura suffisamment de nourriture et de terre si la population s'accroît encore. C'est pourquoi la majorité des familles n'a qu'un seul enfant.

LA CITÉ INTERDITE
La Cité interdite est au centre de Pékin. C'était la résidence de l'empereur de Chine. Pendant des siècles, seuls la famille impériale et ses courtisans pouvaient y entrer. Ce temple (à gauche) est l'un des huit cents bâtiments de la Cité interdite.

Des arbres et des fleurs poussent dans la cour.

LA MAISON DE GUO SHUANG
Elle a des murs de brique et un toit de tuiles. Les six pièces donnent sur une cour ouverte : une cuisine, un salon, trois chambres et une réserve. Sa famille utilise une salle de bains qu'elle partage avec les autres maisons autour de la cour.

Le salon est la pièce préférée de Guo Shuang car c'est là que se trouvent le téléviseur et un aquarium de vingt poissons rouges.

Guo Shuang mange avec des baguettes.

Le bol de Guo Shuang

Une cuiller à soupe

QU'Y A-T-IL AU MENU ?
Aux repas, Guo Shuang mange généralement de la viande et des légumes accompagnés de riz ou de pain cuit à la vapeur, ou *mantou*.

« J'adore le riz, mais pas la viande – les garçons aiment la viande et les filles préfèrent le poisson. »

Des *mantou* (petits pains cuits à la vapeur)

Les raviolis sont cuits et prêts pour le repas.

LES RAVIOLIS CHINOIS
Sun Pei Lan, la grand-mère, prépare des raviolis avec l'aide d'une amie (à gauche). Elles les farcissent de viande, d'oignons, d'ail et de gingembre.

郭 爽

Le nom de Guo Shuang se prononce « gwo chwang ».

" *C'est comme ça que j'écris mon nom. Shuang veut dire " Au grand cœur, heureuse, propre ". Je veux être professeur de travaux manuels parce que j'aime fabriquer des objets. Mais je n'ai pas vraiment envie de grandir car les adultes n'ont pas le temps de jouer.* "

« *Pendant les vacances, je mets des rubans dans mes cheveux.* »

« *J'ai les cheveux très longs, je peux presque m'asseoir dessus. Je me fais souvent des nattes, comme ça. À l'école, nous sommes obligées d'avoir les cheveux attachés.* »

Guo Shuang met cette casquette pour rentrer de l'école, avec l'inscription « sécurité ».

« *Je mets mon manteau quand il fait froid. L'hiver, quand il neige, nous faisons des bonshommes de neige. J'adore la neige.* »

« *C'est presque toujours moi qui choisis mes vêtements, et c'est le rouge que je préfère.* »

UNE PRÉFÉRENCE POUR LE ROUGE

Guo Shuang et sa meilleure amie, Yu Li, portent un survêtement ; c'est l'uniforme de leur école. Les enfants ont le choix entre un uniforme bleu ou rouge. Guo Shuang et Yu Li préfèrent le rouge.

LA CASQUETTE JAUNE

Guo Shuang commence l'école à 7 h 30 et termine à 16 heures. Elle apprend les mathématiques, le chinois, la musique, les travaux manuels et fait de la gymnastique. Le soir, les enfants quittent l'école tous ensemble. Ils mettent alors leur casquette jaune et marchent à la file indienne. L'enfant qui est en tête tient un drapeau. Chacun quitte le groupe quand il arrive devant chez lui.

Guo Shuang porte ce foulard rouge pour montrer qu'elle fait partie d'un groupe d'enfants appelé « les Jeunes Pionniers ».

« *Les Jeunes Pionniers agissent pour le bien de la communauté, en aidant les personnes âgées, par exemple.* »

Guo Shuang sait écrire plus de mille caractères et elle espère en connaître environ huit mille quand elle aura terminé l'école.

Les livres d'école de Guo Shuang

L'ÉCRITURE CHINOISE

Pour écrire, les Chinois utilisent des caractères et non des lettres. Il en existe près de soixante mille, mais beaucoup ne servent presque jamais. Certains mots s'écrivent avec un seul caractère, d'autres en nécessitent plusieurs.

Guo Shuang porte des chaussures en tissu.

« *À l'école, c'est la leçon de travaux manuels que je préfère. C'est là que j'ai fait ce masque ; je l'ai découpé dans du papier et je l'ai colorié.* »

Une leçon de gymnastique à l'école de Guo Shuang. Aujourd'hui, les enfants jouent une pièce de théâtre.

49

Erdene

Erdene a dix ans. Il habite la Mongolie, en Asie centrale.
Il vit dans une région isolée appelée Tsaluu,
où sa famille élève des chevaux, des vaches, des moutons
et des chèvres. Pendant la semaine, Erdene vit avec ses
parents et sa petite sœur, Oyon Erdene, dans un village
à 9 km de Tsaluu pour que tous deux puissent aller
à l'école. Ils retournent à Tsaluu le week-end et pendant
toutes les vacances scolaires.

Des tapis appelés *hivs* servent de sièges. La décoration de celui-ci représente un nœud d'éternité.

LE FROID DES MONTAGNES

Tsaluu est entouré de montagnes verdoyantes. Il n'y a pas d'arbres et pas beaucoup de monde non plus – la Mongolie est un des pays qui a la plus faible densité de population au monde (1,5 habitant au km^2). À Tsaluu, il fait presque toujours froid et, en hiver, la température peut descendre à - 50 °C.

Erdene appelle son père « Aav » et sa mère « Eej ».

Rentsen, le père d'Erdene

Narangarav, la nièce d'Erdene

Le nom de Batmunkh veut dire « fort pour toujours ».

Statue du Bouddha dans un temple mongol

« La nuit, si j'ai peur, je prends mon amulette bouddhiste dans ma main et je me sens à nouveau en sécurité. »

Erdene   Oyon Erdene   Badamsuren, la mère d'Erdene

Tserenpagma, la femme de Batmunkh

Erdene Garav, la nièce de Tserenpagma

LA PRIÈRE EN FAMILLE

La famille d'Erdene est bouddhiste. Ils ont l'habitude de prier chez eux, car il n'y a pas de temple dans les environs.

En semaine, Erdene vit dans cette maison, à Sergelen.

LA FAMILLE D'ERDENE

Rentsen, le père d'Erdene, passe sa journée à prendre soin des bêtes. Sa mère, Badamsuren, est comptable à Sergelen, la petite ville où Erdene va à l'école. Après son travail, elle s'occupe de son intérieur et trait les vaches. Erdene a deux grands frères, Batmunkh et Munkhbat, et une sœur aînée, Ulziihuu. Batmunkh est marié et il a une petite fille.

LA YOURTE

Erdene vit dans une yourte ou *ger*, une grande tente circulaire. Depuis des siècles, les Mongols habitent ces yourtes qui leur permettent de suivre les déplacements de leurs troupeaux. Peuple de nomades, ils les démontent et les transportent d'un endroit à l'autre. De nombreux Mongols sont maintenant sédentaires, mais ils vivent toujours dans des yourtes.

La toile blanche qui couvre la yourte est fixée par des cordes en crin de cheval.

La structure en bois de la yourte est recouverte d'une épaisse couche de feutre bitumé pour la protéger du froid.

Dans le toit de la yourte, un trou laisse entrer la lumière et permet l'évacuation de la fumée.

Au centre, un poêle sert au chauffage de la yourte et à la préparation des repas. La bouse de vache séchée sert de combustible.

La cousine d'Erdene, Erdene Garav, a quatre ans. Elle vit avec la famille d'Erdene, à Tsaluu.

Le chapeau pointu d'Erdene s'appelle un *janjin malgai*.

« *Quand je serai grand, je veux apprendre à conduire une voiture. Mais j'aime bien être encore petit, car je peux participer aux courses de chevaux pour enfants.* »

Erdene utilise ce bâton pour rassembler les animaux.

La ceinture en tissu d'Erdene s'appelle un *bus*.

« *Nous avons un téléviseur, mais je préfère être dehors pour me promener à cheval ou m'occuper des bêtes. J'aime aussi chanter des chants mongols.* »

La mère d'Erdene lui a confectionné ce *deel*, manteau traditionnel, en coton doublé de laine d'agneau. Grâce à lui, Erdene n'a pas froid pendant les longs mois d'hiver.

Ces bottes mongoles à l'extrémité recourbée s'appellent des *mongol gutal*.

Le nom d'Erdene se prononce « ehr-den-neï ».

« *Voici comment j'écris mon nom. Cela veut dire " Quelque chose de précieux ". Rentsen Erdene est mon nom complet. L'été est ma saison préférée : je monte à cheval et j'aide à garder les bêtes. Une fois, j'ai vu un loup et je me suis enfui. Ce que je préfère, c'est les courses de chevaux en juillet : nous sommes trois cents cavaliers mais je ne gagne pas souvent.* »

Ces osselets (*shagai*) ont été fabriqués avec des astragales (os du pied) de mouton.

JEU D'OSSELETS
Erdene joue avec ses *shagai* à la course de chevaux.

L'AMI D'ERDENE
Le meilleur ami d'Erdene s'appelle Amraa. Ensemble, ils jouent au ping-pong et aiment aussi se bagarrer.

Ces petits os ont été teints avec de la sève.

L'école d'Erdene

L'ÉCOLE
À l'école, ce que préfère Erdene, c'est la gymnastique, parce qu'il aime beaucoup courir. Mais il étudie aussi les mathématiques, la littérature et le mongol. Le mongol moderne s'écrit en alphabet cyrillique, mais on peut à nouveau étudier l'écriture mongole traditionnelle. Erdene apprend à écrire les deux alphabets.

Des exercices faits par Erdene en cyrillique. Cet alphabet a été introduit en Mongolie par les Russes en 1940.

« *Nous avons deux chiens, Banhar et Hoilog. Celui-là, c'est Hoilog.* »

Quand il monte à cheval, Erdene fait claquer son fouet en l'air pour qu'il aille plus vite.

PLEIN D'ANIMAUX
La famille d'Erdene possède 30 chevaux, 9 vaches et à peu près 120 chèvres et moutons. Erdene a un cheval à lui (ci-dessus) qu'il monte tous les jours en été.

LES REPAS
La rigueur du climat mongol n'est pas propice à l'agriculture, mais les terres sont parfaites pour l'élevage. Aussi les Mongols mangent-ils beaucoup de mouton et peu de légumes. Ce que Erdene préfère, c'est le *guriltai shol* : une soupe de nouilles avec du mouton.

Du *guriltai shol*

Ces biscuits, des *boortsog*, sont à base de farine mélangée à de l'eau bouillie dans de l'huile.

Daisuke

Tashita Daisuke a dix ans. Il habite près de la ville d'Ogawa dans l'île de Honshu (Hondo), au Japon. Ses parents exploitent une ferme biologique. Ils cultivent la terre et élèvent des animaux en respectant l'environnement. Ils n'utilisent ni engrais chimique ni pesticide. La famille produit même sa propre électricité grâce au gaz dégagé par le fumier des bêtes, le biogaz, qui alimente un générateur.

Tous les ans, le jour de la fête des Enfants, les familles qui ont de jeunes garçons suspendent des cerfs-volants en forme de carpes à l'extérieur des maisons.

TOKYO
Ogawa n'est pas loin de Tokyo (ci-dessus), la capitale du Japon. Daisuke s'y rend souvent avec ses parents. Il aime déambuler dans les grands magasins et fouiner dans les librairies.

Ryuichi, le père de Daisuke

Mieko, la mère de Daisuke

Daisuke appelle sa mère « Okaa-san » et son père « Otô-san ».

Le petit frère de Daisuke, Shota, a quatre ans.

LITS SUPERPOSÉS ET FUTONS
Comme beaucoup de Japonais, Daisuke habite une maison en bois. Il partage sa chambre avec son frère, Shota, et sa sœur, Akane. Daisuke et Shota dorment dans des lits superposés et Akane sur un matelas japonais traditionnel, un futon, déplié sur le sol. Daisuke aimerait aussi avoir un futon, mais il n'y a pas assez de place.

LA FAMILLE DE DAISUKE
Les parents de Daisuke travaillent ensemble à la ferme, ils soignent les animaux et s'occupent des cultures. La mère de Daisuke livre aussi les produits de la ferme aux gens de la ville. Daisuke l'aide aux travaux ménagers ; tous les jours il allume le feu et fait la vaisselle après les repas.

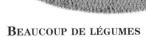

BEAUCOUP DE LÉGUMES
La ferme de Daisuke est entourée de champs. Sa famille y cultive différents types de légumes, des choux, des radis et un genre d'oignon, un peu gros, le *tamanegi*. Ils ont aussi une rizière qu'ils partagent avec quatre autres familles. Le riz est la plante la plus cultivée au Japon.

Tous les matins, avant l'école, Daisuke ramasse les œufs dans le poulailler.

DES POULETS À FOISON
La famille de Daisuke a un élevage d'environ cinq cents volailles. Chaque jour, il faut ramasser les œufs pour les vendre. Il y a aussi dix cochons, pour la viande, et deux moutons, pour la laine.

« Nous avons trois chiens. Celui-ci est mon préféré. Il s'appelle Muku-Muku, ça veut dire " tout doux ". »

« Akane a sept ans. Elle laisse toujours la chambre en désordre et c'est moi qui dois ranger. »

« Dans notre école, nous n'avons pas d'uniforme, mais nous devons mettre une casquette jaune comme celle-ci. »

Le nom de Daisuke se prononce « daï-su-ké ».

Daisuke porte son cartable sur le dos comme tous les enfants japonais. Il le gardera pendant toutes ses années d'école.

田下 大輔

« Voici comment j'écris mon nom. Quand je suis né, j'étais minuscule et mes parents ont souhaité que je grandisse vite. Alors, ils m'ont donné le nom de Daisuke – dai veut dire " grand ". Plus tard, j'aimerais étudier les dinosaures. Ma grand-mère m'a emmené voir l'exposition sur les dinosaures au Muséum national de Tokyo. C'est la chose la plus passionnante que j'aie jamais vue. Je voudrais aller aux États-Unis pour visiter tous les muséums ! »

« Yasuke est mon meilleur ami depuis que nous sommes petits. Ensemble, nous aimons faire du vélo, jouer à cache-cache ou à des jeux vidéo. »

« Ici, il fait froid en hiver. J'aime bien ce sweat-shirt parce qu'il est molletonné et qu'il me tient chaud. »

Daisuke va à l'école primaire de Yawata.

Les instituteurs japonais marquent les bons devoirs par ces spirales rouges.

Le cahier de sciences de Daisuke. La leçon portait sur les casernes de pompiers.

L'ÉCOLE ET LES LOISIRS
Daisuke va à l'école six jours par semaine, il a un samedi de libre par mois. La leçon de sciences est sa préférée, et celle de mathématiques est celle qu'il aime le moins. À la récréation, les enfants jouent au ballon. Dans leur jeu, il faut éviter de se faire toucher par la balle.

« Comme pantalon, je préfère les pantalons de survêtement. »

Les journaux sur les dinosaures de Daisuke

« Je voudrais pouvoir chevaucher un dinosaure. »

Le jeu vidéo préféré de Daisuke

LA PASSION DES DINOSAURES
Daisuke adore lire des livres et des magazines sur les dinosaures. Il aime aussi voir des films sur ces animaux préhistoriques. Les jeux vidéo l'intéressent également.

UNE HISTOIRE DE POISSONS
Daisuke et sa famille mangent souvent du poisson, surtout du *sashimi* (poisson cru) et des algues. Ils consomment aussi les produits de la ferme : légumes et riz. Daisuke préfère le *tonkatsu* (travers de porc) et les *soba* (nouilles de blé noir).

Comme tous les Japonais, Daisuke enlève ses chaussures avant d'entrer dans la maison. Chez lui, il met parfois des chaussons, mais il aime mieux être pieds nus. Dehors, il a toujours ses tennis.

La bouillotte de Daisuke lui tient chaud pendant les froides nuits d'hiver. Elle est en métal et peut être brûlante, alors Daisuke l'enveloppe dans un tissu avant de la mettre dans son lit.

Les *mochi* sont des gâteaux de riz enveloppés d'algues.

Les baguettes de Daisuke

Yong-Koo et Ji-Koo

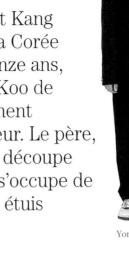

Yong-Koo   Ji-Koo

Les frères jumeaux Kang Yong-Koo et Kang Ji-Koo vivent à Séoul, la capitale de la Corée du Sud, en Asie du Sud-Est. Ils ont onze ans, mais Yong-Koo est plus vieux que Ji-Koo de dix minutes. Ils habitent un appartement avec leurs parents, grand-mère et sœur. Le père, Kang Chu-Cheol, dirige une usine de découpe du verre. Leur mère, Kim Min-Sook, s'occupe de la maison et elle fabrique et vend des étuis à rouge à lèvres en cuir.

SÉOUL

Yong-Koo et Ji-Koo habitent dans ce quartier. Séoul est l'une des plus grandes villes du monde, sa population est d'environ dix millions d'habitants. C'est une cité très moderne, avec de nombreux gratte-ciel et de larges avenues à la circulation incessante. D'anciens palais et de belles maisons traditionnelles subsistent entre les immeubles de béton.

Lee Son-Ye est la grand-mère des jumeaux.

Kang Mi-Wha

Kim Min-Sook

Kang Chu-Cheol

Les parents et la grand-mère des jumeaux portent pour la photo le costume traditionnel très coloré, réservé aux grandes occasions.

LA FAMILLE DE YONG-KOO ET JI-KOO

Les jumeaux appellent leur mère « Omma », leur père « Aboji » et leur grand-mère « Halmoni ». Leur sœur, Kang Mi-Wha, a treize ans. Yong-Koo s'entend bien avec Mi-Wha, mais Ji-Koo se dispute souvent avec elle.

L'OBSERVATION DES ÉTOILES

Yong-Koo et Ji-Koo habitent au deuxième étage d'un immeuble. Ils occupent la même chambre et leur sœur partage celle de leur grand-mère. Les jumeaux dorment sur des matelas rangés dans la chambre des parents pendant la journée. Le balcon de la cuisine est leur endroit préféré. La nuit, ensemble, ils y restent longtemps pour observer les étoiles.

Voici comment Yong-Koo écrit son nom.

" Yong veut dire " Courageux " et Koo " Sauver ". Si je pouvais souhaiter quelque chose, c'est qu'il n'y ait plus de crimes. Je veux être avocat ou juge, pour être sûr que justice soit faite. J'aimerais épouser une femme polie et sincère. Je voudrais aussi aller en Australie pour voir les kangourous et les koalas. "

« Park Chang-Yong est mon meilleur ami parce qu'il ressent les mêmes choses que moi. » (Yong-Koo)

UNE LONGUE JOURNÉE D'ÉCOLE

Yong-Koo adore les mathématiques et les expériences en sciences naturelles. Ji-Koo aime les jours où il y a des contrôles, car les enfants quittent l'école plus tôt. Après la classe, les jumeaux ont souvent d'autres activités, le piano ou les arts plastiques par exemple. Il leur arrive de ne rentrer chez eux qu'à vingt et une heures.

Dans la salle de classe, les enfants portent ces chaussures.

Le livre de sciences naturelles et de géographie de Yong-Koo. Les jumeaux sont en train d'étudier les ressources naturelles de la Corée du Sud.

Les jumeaux vont à l'école élémentaire Shinnam.

Ces robots sont les jouets préférés de Yong-Koo. Il aime à les démonter et à les remonter.

UNE CUISINE AIGRE-DOUCE

La famille des jumeaux mange souvent du poisson en sauce avec du riz cuit à l'eau, du porc et du chou aux épices. Le porc à la sauce aigre-douce, *tang su yuk*, est le plat préféré de Yong-Koo. Il dit qu'il aime tout ce qui se mange.

Les jumeaux ont chacun deux paires de chaussures pour l'école, l'une pour l'intérieur et l'autre pour l'extérieur. Quand ils sont en classe, ils mettent les autres chaussures dans leurs sacs.

Le livre de mathématiques de Yong-Koo

Une assiette de *tang su yuk*

Du riz cuit à l'eau

La cuiller de Yong-Koo

Des baguettes

Le nom de Yong-Koo se prononce « yong-kou ».

« J'aime l'automne car les feuilles prennent de belles couleurs. »

Le nom de Ji-Koo se prononce « dji-kou ».

« J'aime l'été, car ce sont les vacances et je peux jouer avec mes amis. »

강 지구

« La première partie de mon nom, Ji, veut dire "Sagesse". Je voudrais voyager dans l'espace pour voir si les autres planètes sont habitées et en savoir plus sur les trous noirs. Plus tard, je ferai de la politique pour aider mon pays à se développer. J'épouserai une femme dynamique et j'aurai un garçon et une fille. Je me demande comment vivent les enfants des autres pays. Je voudrais leur demander : "Êtes-vous content de votre vie ?". »

« Notre famille est bouddhiste. Le dimanche, nous allons au temple, pour y suivre des cours de religion et apprendre des chants bouddhistes. »

Le meilleur ami de Ji-Koo s'appelle Shin Dong-Chul. Pendant la récréation, ils aiment jouer à un jeu de ballon appelé *jae gui*.

LES BRICOLAGES DE JI-KOO

Ji-Koo adore fabriquer des choses, comme cet hélicoptère, avec tout ce qu'il a dans sa « boîte à bricolage ».

LES PLATS PRÉFÉRÉS DE JI-KOO

Ji-Koo adore le *kimchi*, le soja et la soupe de légumes appelée *toenjang tchi-gae*. Le *kimchi* est le plat le plus apprécié des Coréens. Les ingrédients de ce plat très épicé varient, mais on le fait souvent avec du chou chinois, de l'ail, du gingembre et du piment.

Du *kimchi*

Du *toenjang tchi-gae*

Les vestes et les pantalons colorés des jumeaux sont en soie.

Les jumeaux portent le costume coréen traditionnel, *hanbok*. *Han* signifie coréen et *bok* vêtement. Les membres de la famille revêtent le *hanbok* à l'occasion d'événements particuliers.

Pour sortir, les jumeaux mettent généralement des baskets.

Pendant la récréation, les enfants jouent au *jae gui* avec cette balle rose.

« Ce qui est bien quand on est enfant, c'est qu'on a plein de possibilités pour l'avenir. Les adultes ont déjà choisi le leur, ils n'ont plus le choix. »

Meena

Meena a sept ans. Elle habite à Delhi, la capitale de l'Inde, mais elle est née à Masalpur, un village de l'État du Rajasthan, à l'ouest de Delhi. C'est une région très sèche, et Meena et sa famille ont dû quitter leur village en raison du manque d'eau qui empêchait toute culture. Ils habitent désormais près du chantier de construction d'une usine, dans Delhi, où travaillent ses parents.

LE RAJASTHAN

La famille de Meena est originaire du Rajasthan, dans le nord-ouest de l'Inde. C'est un très grand État avec des paysages très variés. À l'ouest, le désert de Thar s'étend jusqu'au Pakistan, tandis que les forêts du sud (ci-dessus) abritent toute sorte d'animaux, des tigres traquant leurs proies, jusqu'aux paons sauvages perchés dans les arbres ou picorant leur nourriture sur le sol.

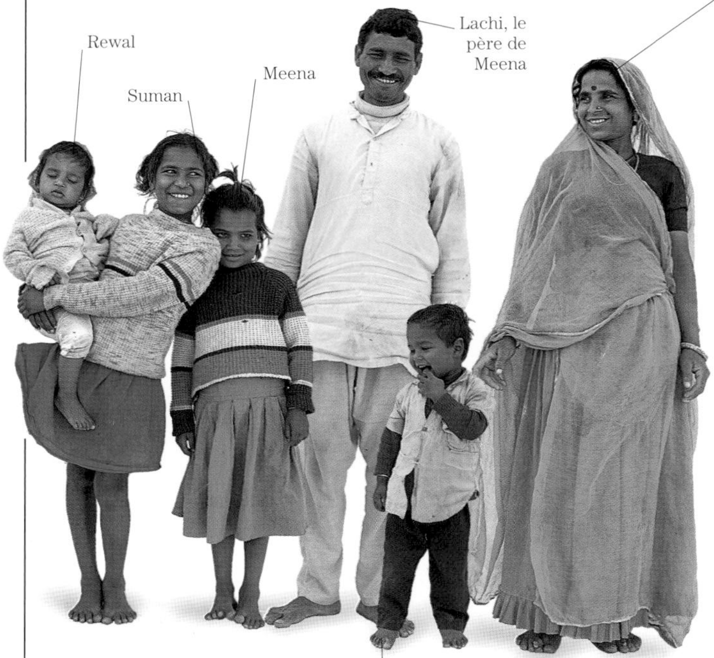

Rewal

Suman

Meena

Lachi, le père de Meena

Prembai, la mère de Meena, porte un *lehnga* (une jupe), un *choli* (une brassière) et un *odhni* (un long foulard).

Sonu

DELHI

Cette ville se partage en deux : le Nouveau-Delhi (New Delhi) et l'ancienne cité (Old Delhi). Dans le vieux Delhi, des bâtiments datent de l'époque moghole. Les empereurs moghols ont régné sur l'Inde de 1526 à 1858 et les monuments qu'ils ont fait construire, telle cette mosquée, sont souvent pourvus de dômes en forme de bulbes, de fenêtres et de portes finement sculptées. Le Nouveau-Delhi a été édifié par les Britanniques qui ont dominé l'Inde de 1858 à 1947.

LA FAMILLE DE MEENA

Les parents de Meena travaillent tous les deux sur le chantier près duquel ils habitent. Son père construit les murs de brique et sa mère transporte sur sa tête des paniers de terre et de sable. Meena a deux frères, Rewal et Sonu, et une sœur, Suman. La famille parle rajasthanais, la langue de leur État.

Suman s'occupe de ses frères et de sa sœur pendant que Prembai et Lachi travaillent.

Le mur de la maison est consolidé avec de la bouse de vache séchée.

LA MAISON DE MEENA

La maison de Meena est en briques, avec un toit de tôle ondulée. Il n'y a ni électricité ni eau courante, et les toilettes sont à l'extérieur. Quand les travaux seront terminés, la maison sera détruite et la famille de Meena partira pour un autre lieu de travail, où il faudra construire une nouvelle maison.

Shiva est l'une des trois divinités de l'hindouisme, les deux autres étant Brahma et Vishnou. Il symbolise la destruction de l'univers et sa régénération.

LA RELIGION DE MEENA

Comme beaucoup de gens en Inde, Meena et sa famille sont hindous. Ils vont souvent dans ce sanctuaire (extrême gauche). Tout en croyant qu'un principe divin unique sous-tend l'univers, les hindous adorent de nombreuses déités qui représentent différentes qualités : la sagesse, la pureté, la force…

« Mes cheveux sont courts maintenant. Avant, ils étaient longs, mais papa me les a coupés. »

« Voici comment j'écris mon nom. Le mot meen veut dire " Poisson ". Je n'aime pas le chantier, il n'y a pas d'arbres et c'est sale. Mon rêve est de retourner dans mon village : notre maison était en pierre et on cueillait les fruits dans les arbres. Ici, il faut payer pour en avoir. Les chats sont mes animaux préférés, mais pas les chiens, car ils pourraient me manger. »

Rukmini   Gaura   Meena   Rajni

LES AMIES DE MEENA
Des amies de Meena qui habitent aussi près du chantier. Rukmini et Rajni sont ses meilleures amies.

« J'aime bien mettre des robes avec des volants. Quand j'ai froid, je mets un pull. »

« En Inde, les filles aiment porter des bracelets. Ici, je suis triste, parce que je n'arrive pas à en trouver qui m'aillent. »

LA GARDERIE
Pendant que les parents travaillent, les enfants qui vivent près du chantier vont à la garderie. Un adulte s'occupe des plus jeunes pendant que les plus grands, dont Meena, écoutent l'institutrice (ci-dessus). Meena apprend le hindi (la langue officielle de l'Inde) et les mathématiques.

« J'ai inscrit les chiffres de 1 à 10 sur mon ardoise. J'utilise ces petits cailloux pour m'aider à compter. »

Le plat de légumes préféré de Meena

LES REPAS DE MEENA
Meena adore manger des *chana* (pois chiches), des *alu* (pommes de terre) et du *gobhi* (chou-fleur) avec des *roti* (pain indien à la farine de froment). La mère de Meena prépare les repas sur un feu de bouse de vache séchée.

Des *roti* accompagnés de légumes

DE L'HUILE ET DU HENNÉ
Prembai met de l'huile sur les cheveux de Meena pour qu'ils soient épais et brillants. Elle lui colore aussi les ongles avec une teinture naturelle issue de la plante du henné.

« D'habitude je mets des tongs, mais aujourd'hui, je suis fâchée à cause d'un garçon qui me les a prises. »

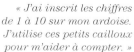

Sarala

Sarala Shekar a neuf ans. Elle vit dans un village au bord de la mer, au Tamil Nadu, un État tout au sud de l'Inde. C'est une région très chaude qui possède sa propre culture tamoule et sa langue. Le père de Sarala est pêcheur et la maison qu'elle habite avec sa famille est tout près de la plage. Sarala est née dans un hôpital de Madras, la capitale du Tamil Nadu.

LA PLAGE
Voici la plage près de la maison de Sarala. Sarala aime l'odeur de la mer et elle adore marcher sur le sable blond. Parmi les barques de pêche en bois échouées sur la grève se trouve celle de son père.

La maison se niche sous les cocotiers dont les palmes bruissent et s'agitent dans le vent.

LA FAMILLE DE SARALA
La famille de Sarala comprend cinq personnes : son père, Shekar, sa mère, Shanthi, sa sœur aînée, Santhya, et son petit frère, Pradeep. En général, Sarala s'entend bien avec son frère et sa sœur, mais quand ils jouent ensemble, il leur arrive de se disputer. Pendant que le père de Sarala est à la pêche, sa mère s'occupe de la maison. Sarala l'aide et l'accompagne souvent pour faire les courses.

Shanthi

Shekar

Sarala

Pradeep a sept ans.

Santhya a douze ans.

LA MAISON DE SARALA
Voici la maison de Sarala et de sa famille. Ils la partagent avec d'autres parents ; chaque famille vit dans des pièces séparées. En tout, quinze personnes habitent cette maison.

Les *saris* se portent par-dessus une brassière.

Cette plante aux couleurs vives, le bougainvillier, pousse près de la maison de Sarala. On en trouve dans tous les pays chauds.

La mère de Sarala est vêtue d'un *sari* traditionnel.

Shanthi drape le tissu autour d'elle : elle glisse une extrémité dans son jupon et après avoir fait quelques plis, rejette le reste du tissu par-dessus son épaule.

Ce *sari* est en soie.

LA RELIGION DE SARALA
Sarala et sa famille sont hindous. Ils prient dans ce temple qui se trouve sur la plage, près du village. Les hindous croient en la réincarnation : quand quelqu'un meurt, son âme revit dans le corps d'une autre personne ou d'un animal. Cette croyance les aide à supporter leur condition dans l'espoir d'obtenir une naissance dans une vie plus facile.

Chez les Tamouls, les femmes mariées portent souvent une bague d'orteil en argent.

Pradeep est chaussé de sandales, ou chappals. Il les enlève dans la maison.

« C'est ma mère qui me coiffe. J'aime avoir les cheveux tirés en arrière et les orner d'une guirlande de jasmin les jours de fête. »

LES AMIES DE SARALA
Voici Sarala avec ses amies Kalpana (à gauche) et Komathi (à droite). Toutes les trois vont ensemble à l'école du village.

« **Voici comment j'écris mon nom, Sarala. Je suis heureuse de vivre ici, près de la mer, mais j'aimerais avoir une maison plus grande. Si je pouvais changer quelque chose, je ferais que tout coûte moins cher et que l'eau soit propre – je déteste l'odeur de l'eau sale. La chose la plus intéressante que j'aie jamais faite, c'est un pèlerinage, sur la montagne sacrée de Tirupathi. Je voudrais visiter toute l'Inde.** »

L'ÉCOLE DE SARALA
Sarala va à l'école à pied. Elle apprend l'anglais, le tamoul et les mathématiques, elle aime beaucoup ça. Récemment, on lui a parlé du Mahatma Gandhi, qui a œuvré pour libérer l'Inde de la domination britannique. Sarala pense que Gandhi était un grand homme.

« Voici mon cahier d'école. Sur la page de droite, j'ai écrit des noms d'oiseaux indiens en tamoul. »

« J'aime écouter des chansons à la radio. Quand je serai plus grande, j'apprendrai à danser le Bharata-nattyam comme ma sœur aînée. »

« Je porte mes vêtements préférés. Ma jupe est de la couleur du café. »

C'est le plat favori de Sarala : du poisson et du riz accompagnés d'une sauce *masala* épicée.

Amu, la petite chèvre de Sarala

LA CHÈVRE DE SARALA
Sarala a une petite chèvre qui s'appelle Amu. Les chèvres sont ses animaux préférés. Elle n'aime pas les chiens car elle a peur d'être mordue.

QUE MANGE-T-ON AU TAMIL NADU ?
Au Tamil Nadu, presque tout le monde est végétarien. Sarala et sa famille ne mangent pas de viande, mais ils aiment beaucoup le poisson.

Comme la plupart des jeunes Indiennes, Sarala porte des bracelets. En Inde, même les femmes les plus pauvres portent des bijoux d'or et d'argent, c'est quelquefois toute leur richesse.

« De tout ce que j'ai, ce sont mes chaînes de chevilles que je préfère. Elles sont en argent. »

JÉRUSALEM

Jérusalem est la ville sainte de trois religions. Les juifs, qui vont prier au Mur des Lamentations (ci-dessus, au premier plan), considèrent cet endroit comme l'un des plus importants de la ville. Mais il y a d'autres lieux sacrés, comme l'église du Saint-Sépulcre, construite à l'endroit de la crucifixion du Christ, et le Dôme du Rocher (ci-dessus), lieu saint des musulmans.

Michaël

Michaël Fiman a neuf ans. Il vit à Jérusalem, en Israël. Michaël et sa famille sont juifs. Ils croient en un seul Dieu et vivent selon les règles établies par les écritures saintes dans la Torah, les cinq premiers chapitres de la Bible (Pentateuque), le livre sacré des Juifs. Les parents de Michaël, Dov et Lucille, sont arrivés en Israël dans les années 60. Avant, Dov vivait aux États-Unis et Lucille en Angleterre.

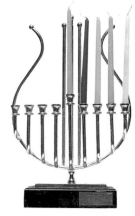

« Chaque soir, pendant les fêtes d'Hanukkah, nous allumons une de ces bougies. »

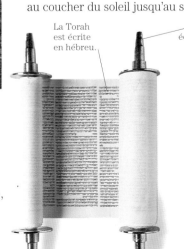

LA MAISON DE MICHAËL

Michaël et sa famille habitent un appartement au rez-de-chaussée d'un immeuble moderne, avec un petit jardin. Michaël partage sa chambre avec Gaby, les enfants ont leur propre salle de bains. Gaby a installé son ordinateur dans la chambre et il laisse souvent Michaël jouer à des jeux électroniques.

Lucille — — Dov — Yonit — Gaby

LA FAMILLE DE MICHAËL

Le père de Michaël est employé dans un hôtel et sa mère travaille dans un journal, le *Jerusalem Post*. Son frère, Gaby, a seize ans et sa sœur, Yonit, en a quinze. Ayant grandi aux États-Unis et en Angleterre, Dov et Lucille parlent l'anglais. Michaël, Gaby et Yonit parlent l'anglais et l'hébreu, la langue officielle d'Israël. Comme la plupart des hommes pratiquants, Dov, Gaby et Michaël portent la *kippa*, une calotte posée en arrière de la tête. Lucille aussi se couvre la tête, le plus souvent d'un chapeau noir.

« Je récite cette prière tous les soirs avant de m'endormir. Elle est en hébreu et elle est accrochée au-dessus de mon lit. »

LA TORAH

Le livre sacré des juifs, la Torah, se compose des cinq premiers livres de l'Ancien Testament. Pour les juifs, la Torah contient la parole de Dieu, transmise à leur chef, Moïse, il y a plus de trois mille ans. Les 613 commandements (règles) qu'elle renferme concernent aussi bien la façon dont les juifs doivent manger, que celle de se conduire le jour du sabbat, qui va du vendredi au coucher du soleil jusqu'au samedi soir.

Michaël va prier à la synagogue de Beth Yitz Chak.

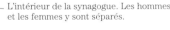

La Torah est écrite en hébreu.

La Torah familiale est écrite sur un parchemin qui s'enroule autour de deux rouleaux.

Le soir du sabbat, la famille de Michaël boit du vin dans cette timbale en argent appelée *kiddush*.

L'intérieur de la synagogue. Les hommes et les femmes y sont séparés.

LA SYNAGOGUE

Le mot synagogue signifie « lieu de rendez-vous » ; c'est là que les juifs vont pour prier et pour étudier les textes religieux. Le vendredi soir, Michaël s'y rend avec son père, pendant que sa mère et sa sœur préparent le repas du sabbat. Le samedi matin, toute la famille va ensemble à la synagogue.

« Ma religion commande de porter les cheveux courts. Comme les miens poussent lentement, je vais chez le coiffeur tous les quatre mois. »

« Voici comment j'écris mon nom, Michaël, en hébreu. Quand je serai grand, je veux être ingénieur en électronique. Je voudrais aussi aider à préserver l'environnement, parce que j'adore la nature. Je pense qu'il faudrait éloigner toutes les usines des habitations et les entourer d'arbres. J'espère que quelqu'un inventera bientôt un carburant pour que les voitures arrêtent de polluer l'air. »

LES AMIS DE MICHAËL

Assaf (à gauche) et Shuki (à droite) sont les amis de Michaël. Michaël n'a pas de meilleur ami, il dit qu'il les aime tous de la même façon.

« Voici ma kippa. Je la mets tous les matins et je la fixe avec des pinces. »

« Ensuite, je mets mon tsitsit. Je dis une prière spéciale quand je l'enfile. »

Le tsitsit est un vêtement religieux porté par les garçons et les hommes juifs.

« Je crois que la meilleure chose quand on est enfant, c'est tout l'amour que nous donne notre famille. »

L'école de Michaël

L'ÉCOLE DE MICHAËL

Michaël va à l'école du dimanche au vendredi, il s'y rend à pied, avec ses amis. Il raconte que, bien qu'elle ne soit qu'à cinq minutes, ils mettent un quart d'heure pour y arriver car ils n'arrêtent pas de discuter en chemin. Ses matières préférées sont la gymnastique et la religion, mais il apprend aussi les mathématiques, l'hébreu et l'anglais.

« Quand je serai grand, je pourrai faire tout ce que je veux. Le seul problème, c'est qu'il faudra tout payer ! »

« Voici mon livre d'études religieuses. Je trouve cela très intéressant. »

LES RÈGLES DU SABBAT

Comme beaucoup de juifs pratiquants, le jour du sabbat, Michaël et sa famille respectent un certain nombre de règles. Ils ne doivent pas travailler ni allumer l'électricité. Ils ne peuvent pas conduire et s'ils ont le droit de prendre un bain, il leur est interdit de se laver les cheveux.

« Je passe mon temps à jouer sur l'ordinateur de Gaby. Sauf le jour du sabbat, bien sûr. »

Michaël porte ce pantalon noir le jour du sabbat. Les autres jours, il est en jean.

Les falafels sont des boulettes de farine de pois chiches, d'herbes et d'épices.

LES REPAS DE MICHAËL

Michaël et sa famille mangent beaucoup de pâtes et de pizza. Michaël adore les falafels, avec du pain pita, et les burekas aux pommes de terre et au fromage. Les juifs pratiquants suivent un certain nombre de règles établissant ce qu'ils peuvent manger et comment préparer ces aliments. La nourriture qui répond à ces exigences est dite « kascher ».

Les burekas sont faits de pâte feuilletée fourrée de divers ingrédients.

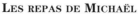

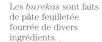

« Je mets toujours des tennis, mais quand il fait très froid, je préfère les bottes. »

Sabah

Sabah Khleifat a neuf ans. Elle habite en Jordanie et fait partie de la communauté bédouine qui vit dans les régions désertiques du Moyen-Orient et de l'Afrique du Nord. Les Bédouins sont nomades, ce qui signifie qu'ils se déplacent sans cesse, à la recherche de nourriture pour leurs troupeaux. De nombreux Bédouins, dont la famille de Sabah, s'installent désormais dans les villes et les villages. Mais pendant les chaleurs de l'été, la famille de Sabah retourne vivre sous la tente traditionnelle.

« Voici ma sœur Iman. Elle a quatre ans. »

LES HABITANTS DU DÉSERT

Le mot « Bédouin » signifie « habitant du désert ». Taybeh, le village de Sabah, est entouré de collines arides, entaillées par des vallées profondes creusées par les rivières, les *oueds*. Cette partie de la Jordanie ne reçoit que très peu d'eau. Les *oueds* sont généralement à sec et la végétation des collines est très clairsemée.

Le père de Sabah, Abdul, enroule une bande de cotonnade autour de sa tête pour faire un *hatta*.

On appelle le chaud manteau de laine d'Abdul un *farwa*. Il ne le porte que pendant les mois d'hiver.

Ces solides chaussures sont parfaites pour la vie dans le désert.

Deebeh, la mère de Sabah

Deebeh porte toujours une longue robe.

LA FAMILLE DE SABAH

La famille de Sabah comprend vingt-huit membres. Il y a Sabah, son père et ses deux épouses, sa grand-mère, ses onze frères et sœurs, et ses douze demi-frères et demi-sœurs. Le plus jeune des enfants a quatorze mois, et le plus vieux est âgé de vingt-quatre ans. Abdul, le père de Sabah, est charpentier. Il s'occupe aussi des moutons de la famille, qui fournissent le lait et la viande. Sabah appelle son père « Ya-ba » et sa mère « Ya-ma ».

Voici dix des vingt-trois frères et sœurs de Sabah

Khitam

Mohammed et Ibrahim

Youssef et Usama | Zenab | Sabah | Badria | Hind | Iman et Saed

À l'arrivée des premiers froids, Sabah et sa famille s'installent dans cette maison.

LA CHALEUR DE L'HIVER

Pendant l'hiver, la famille de Sabah habite dans deux maisons de pierre, l'une réservée aux hommes, l'autre aux femmes. La pièce que Sabah préfère est le salon, où la famille reçoit ses invités. Les murs de cette vaste pièce sont bordés de coussins où chacun peut s'asseoir. Les Bédouins sont un peuple très accueillant ; la tradition veut qu'ils ne refusent jamais l'hospitalité.

LA FRAICHEUR DE L'ÉTÉ

Les jours d'été, quand la température peut dépasser 40 °C, la famille de Sabah habite une grande tente (à gauche) dont le sol est couvert de tapis et de coussins ; il y a aussi des matelas pour dormir. Pour conserver une certaine fraîcheur, on soulève les côtés de la tente pour que la moindre brise la traverse. Les tentes des Bédouins sont en poils de chèvres ; leur nom arabe : *bayt ash-sha'ar* signifie « maison de poils ».

« *Voici mon frère Saed. Il a sept ans.* »

« *J'ai fait ces deux théières à l'école, pendant les exercices de travaux manuels. Elles sont en argile.* »

"*Voici comment j'écris mon nom, Sabah, qui veut dire "Matin". Autour de mon village, le paysage est très beau. Le printemps est ma saison préférée, quand les collines sont vertes et fleuries. Je n'aime pas l'été, parce qu'il ne pleut pas et que les fleurs se fanent. Et l'hiver est trop froid – parfois, il neige. Quand je serai grande, je voudrais être institutrice pour faire la classe aux enfants de six ans. J'aimerais que tous les enfants du monde soient heureux.*"

ON JOUE AUX « INVITÉES »

Sabah aime jouer avec ses demi-sœurs Zenab, Hind et Badria. Leur jeu préféré est celui des « invitées » dans lequel elles font semblant d'être des dames qui reçoivent du monde chez elles. Elles font les invitées chacune à leur tour.

« *J'aime porter toute sorte de vêtements différents, mais je préfère les robes. En hiver, je mets plusieurs épaisseurs pour avoir chaud. Aujourd'hui, il fait froid et j'ai mis un pantalon et un pull-over sous ma robe.* »

L'école de Sabah

PAS DE SOUCIS

Pour Sabah, l'école commence à 7 heures et se termine à midi. Elle aime tout ce qu'elle apprend et elle dit qu'elle n'a aucun problème. Elle adore les mathématiques, et elle apprend aussi l'arabe et les sciences.

« *J'aimerais bien avoir des colliers en or pour mettre avec ma robe.* »

Voici le livre d'arabe de Sabah. L'arabe est la langue principale de la Jordanie.

« *Voici mes livres d'école. Dans mon livre de maths, on peut voir que j'apprends les unités de mesure et à dessiner un carré. J'ai écrit "Fin" plusieurs fois au dos de mon livre d'arabe.* »

Le livre de mathématiques de Sabah

DES REPAS ANIMÉS

La famille de Sabah mange souvent de la *shurba*, une sorte de soupe faite de yaourt, de riz, d'oignons et de pâtes, que l'on mange avec des galettes, les *khobz*. Pour les repas, toute la famille se rassemble dans le salon. Il y a tellement d'enfants que les parents peuvent oublier que certains sont restés à jouer dehors. Et quand ils arrivent, il n'y a plus rien à manger !

Du *khobz*

De la *shurba*

L'Asie du Sud-Est et l'Australasie

Tuk-tuk,
Thaïlande

L'Asie du Sud-Est est constituée par la Birmanie, la Thaïlande, le Laos, le Cambodge, le Viêt-nam, la Malaisie et Singapour ; cette partie du continent asiatique se prolonge ensuite vers le sud-est par une longue chaîne d'îles qui forment les Philippines et l'Indonésie. L'Australasie est un continent qui comprend l'Australie, la Nouvelle-Zélande, et plusieurs îles voisines du Pacifique Sud.

Citrons verts, Thaïlande

Billets de banque viêtnamiens

LES PEUPLES D'ASIE DU SUD-EST ET D'AUSTRALASIE

Ils sont très variés : parmi ceux-ci, les aborigènes d'Australie, les tribus vivant dans les collines, en Thaïlande et au Viêt-nam, ou dans les forêts pluviales, comme en Indonésie. En Asie du Sud-Est, la plupart des gens vivent dans des villages d'agriculteurs ou de pêcheurs, mais d'autres habitent des cités modernes comme Singapour.

LES FORÊTS TROPICALES

Le climat de l'Asie du Sud-Est est chaud et humide, ce qui favorise la croissance d'une végétation luxuriante comme dans cette forêt de Malaisie.

SINGAPOUR

Singapour est une cité très moderne située au bout de la péninsule de Malaisie, sur les routes maritimes reliant l'océan Indien et l'océan Pacifique. Chaque année, environ 25 000 bateaux fréquentent le port très actif de Singapour.

DES ÎLES DÉSERTES

Bali (à droite) est l'une des principales îles composant l'Indonésie. Ce pays en compte 13 677, dont plus de la moitié sont inhabitées.

VISAGES D'ASIE DU SUD-EST ET D'AUSTRALASIE

Ces enfants viennent de différents pays de ces régions.

Michiko (10 ans) et Makoto (6 ans) viennent d'Australie.

Karika (11 ans) est de la Nouvelle-Zélande.

Ta ta (8 ans) habite aux Philippines.

Pham Dieu Trang (8 ans) vient du Viêt-nam.

Yaso (7 ans) réside en Indonésie.

Jessica (8 ans) vit en Australie.

Emung (9 ans) est thaïlandais.

Voici les enfants que tu vas rencontrer. Ils viennent du Viêt-nam, de Thaïlande, des Philippines, d'Indonésie, de Nouvelle-Zélande et d'Australie.

Thì Liên habite au Viêt-nam (p. 66-67).

Suchart vient de Thaïlande (p. 68-69).

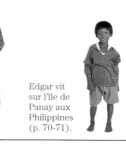
Edgar vit sur l'île de Panay aux Philippines (p. 70-71).

Subaedah réside en Indonésie (p. 72-73).

Ngawaiata est néozélandaise (p.74-75).

Rosita demeure en Australie (p.76-77).

LES RIZIÈRES EN TERRASSES
Le riz est la principale culture de l'Asie du Sud-Est, et tous les pays de la région en produisent. Dans les régions de montagne, on aménage les versants en terrasses (ci-dessus), qui permettent de retenir l'eau nécessaire pour que les rizières soient inondées. Elles empêchent aussi les glissements de terrain.

LÉGENDES DE FÊTES
À Bali, pendant les fêtes religieuses, des danses costumées illustrent des légendes religieuses, comme le *Ramayana*, une épopée hindoue.

L'INTÉRIEUR DE L'AUSTRALIE
L'Australie est un très vaste territoire dont l'intérieur est appelé « Outback ». Il est surtout constitué d'un désert plat aux teintes rouges. On y trouve d'anciens affleurements rocheux, comme l'Uluru ou Ayers Rock (à droite). *Uluru* est un mot aborigène qui signifie « Gros Caillou ».

LA NOUVELLE-ZÉLANDE
Ce pays comprend deux grandes îles, l'Île du Nord et l'Île du Sud. Dans cette dernière, la côte sud-ouest est découpée par des fjords, comme ici Milford Sound (à droite). Ces fjords furent creusés par les glaciers au cours de la dernière période glaciaire. Ils forment de magnifiques paysages qui attirent des visiteurs du monde entier.

Jeep, Philippines

LES ÎLES DU PARADIS
L'océan Pacifique occupe les deux tiers de la surface de la Terre. Il compte de très nombreuses îles. Certaines sont volcaniques, comme Tahiti (à gauche). D'autres, les atolls, sont constituées de corail, composé du squelette d'animaux minuscules. Le corail se développe dans les eaux peu profondes des mers chaudes tropicales. On voit ici les coraux qui bordent Tahiti.

Épices du Viêt-nam

Boîte aux lettres d'Australie

Fleurs de lotus, Thaïlande

Byron (11 ans) vient de Nouvelle-Zélande.
Chinda (12 ans) est thaïlandaise.
Aisha (9 ans) vit aux Philippines.
Carly (9 ans) et Zip le lapin résident en Australie.
Hernah (10 ans) vient d'Indonésie.
Nguyen Hoang Anh (10 ans) est viêtnamienne.
Vu Dieu Thao (9 ans) vit au Viêt-nam.

Thi Liên

Thi Liên est une petite fille de neuf ans qui habite dans les montagnes au nord du Viêt-nam. Elle appartient à une tribu appelée Dao. La famille de Thi Liên vit dans une minuscule communauté appelée Tam, située à 4 km du village le plus proche, qui arrive à se nourrir en autosuffisance et à confectionner la plus grande partie de ses vêtements. La communauté a sa propre source d'électricité qui fonctionne grâce à l'eau d'un lac voisin.

Fleurs de lotus

Liên veut dire « fleur de lotus » en viêtnamien.

LA MAISON DANS LES COLLINES

La maison de Thi Liên est en bois, avec un toit de tuiles et un sol en terre battue. Le porche est ombragé par un toit en chaume. Thi Liên dort dans le même lit que sa mère, tandis que ses frères partagent celui de leur père. Thi Liên aime s'asseoir à son pupitre d'écolière qu'elle a le droit d'emporter chez elle pour les vacances.

DES BATIKS SUPERBES

Ban Thi Son, la mère de Thi Liên, décore les tissus selon la technique du batik. Elle met de la cire sur les parties qu'elle veut préserver, puis elle passe le tissu dans une teinture qui prend sur les parties non cirées et elle enlève la cire.

Outils de batik

Couvercle

Ban Thi Son range ses outils de batik dans ce tube de bambou.

Cire à batik

Le père de Thi Liên s'appelle Van Hoan, ce qui signifie « Parfait ».

La mère de Thi Liên s'appelle Ban Thi Son. Elle aime mâcher des noix de bétel, qui lui noircissent les dents.

Pour teindre un tissu en bleu foncé, la mère de Thi Liên utilise une plante appelée indigo.

« Voici mon frère Van Minh. Ici un garçon a toujours " Van " dans son prénom, une fille toujours " Thi " ».

Thi Liên

Van Thang

LA FAMILLE DE THI LIÊN

Les parents de Thi Liên sont agriculteurs. Ils cultivent du riz, du blé, du manioc et des arbres fruitiers. La maman de Thi Liên s'occupe aussi de la maison et fait des vêtements pour toute la famille. Thi Liên l'appelle « Mé ». Thi Liên a deux frères, Van Minh qui a douze ans, et Van Thang qui en a sept.

Les enfants aiment monter sur le dos des buffles.

LES ANIMAUX FAMILIERS

Dans les villages situés dans les collines, les gens élèvent des poulets et des cochons pour la viande, et des buffles pour tirer les charrues. La famille de Thi Liên a aussi un chien qui s'appelle Lu. Mais l'animal préféré de Thi Liên, c'est un porcelet qui appartient à l'un de ses voisins.

Ce riz, qui a été décortiqué, peut maintenant être cuisiné.

Machine en bois pour décortiquer le riz

L'HEURE DE NOURRIR LES ANIMAUX

Thi Liên nourrit les poulets qui vivent dans cette cabane en bois (à droite) avec du maïs et des déchets alimentaires. Elle s'occupe aussi des cochons qui mangent des feuilles de patates douces et des troncs de bananes. Van Thang et Van Minh, eux, aident leur père à s'occuper des buffles.

POUR DÉCORTIQUER LE RIZ

Une fois que le paddy a été récolté, la mère de Thi Liên doit le décortiquer, c'est-à-dire sortir le riz de son enveloppe ; pour cela, elle utilise cette machine en bois (à gauche).

Thi Liên

« *J'ai les cheveux noirs, mais vous ne pouvez pas le voir parce qu'ils sont recouverts d'un foulard. C'est Mé qui m'aide à m'habiller et qui me met mon foulard.* »

« *Ici je porte le* lamchu, *le costume traditionnel des Dao. Il comporte plusieurs pièces : un foulard, une jupe, une veste, et puis le* hang pen *que j'enroule autour de mes jambes.* »

C'est une personne du village qui a réalisé le collier de Thi Liên, avec de vieux ustensiles de cuisine. Il a d'abord fallu battre le métal pour l'aplatir, puis le recourber pour lui donner une forme ronde.

Thi Liên se prononce « tii lii-ann ». Elle appartient à la tribu Dao, qui se prononce « zao ».

« *Je m'appelle Trieu Thi Liên. Quand je serai grande, je veux être ingénieur agronome pour améliorer la culture du riz. La riziculture est difficile ici parce qu'on est dans les montagnes et que les gens doivent monter des paniers très lourds. J'imagine que c'est bien plus facile dans les plaines. Ce serait utile de faire des études dans ce domaine.* »

Étui de bambou pour le couteau à bois

Le couteau de Thi Liên

Le panier pour transporter le bois

C'est la mère de Thi Liên qui lui a fait ce *lamchu* : cela lui a pris à peu près une année ! Elle a d'abord fait le batik, puis elle a ajouté la broderie avec des fils dont la couleur, naturelle, provient de teintures obtenues à partir de plantes.

« *Je mets mon* lamchu *pour l'école ou pour aller au village. Comme je n'aime pas me salir, je porte d'autres vêtements pour jouer. Mais c'est avec mon* lamchu *que je préfère m'habiller.* »

JEU DE BAGUETTES

Le jeu favori de Thi Liên est le « truyen ». Elle prend des baguettes de bois et un morceau de fruit, elle pose une baguette sur le sol et dispose dessus les autres dans l'autre sens, comme ceci. Elle lance alors le fruit en l'air et ramasse une baguette avant de rattraper le fruit, et ainsi de suite pour toutes les baguettes. Elle recommence ensuite, mais en prenant deux baguettes à la fois, puis trois, puis quatre, etc., jusqu'à ce qu'elle les ramasse toutes d'un coup.

L'école de Thi Liên

Chaque jour, Thi Liên ramasse du bois pour sa mère. Elle le coupe avec son couteau spécial pour qu'il entre dans son panier.

L'ÉCOLE DU MATIN

L'école commence à huit heures du matin et se termine trois heures plus tard. Thi Liên aime la littérature et les mathématiques, elle trouve que ce sont des matières faciles. Elle parle à la maison la langue de sa tribu, le dao, et, à l'école, le viêtnamien.

Voici le cahier dans lequel Thi Liên a fait ses exercices de mathématiques ; elle a écrit en viêtnamien.

Un peu de jus de citron vert donne du goût à ce que mange Thi Liên.

LES CULTURES DES COLLINES

La famille de Thi Liên mange souvent des vermicelles de riz appelées *pho*. Avec des *pho*, on mange des légumes et, parfois, du poulet ou du porc. Ce que préfère Thi Liên, ce sont les fruits. Sa famille cultive des citronniers, des bananiers, des pruniers, des abricotiers, des goyaviers et des jaquiers.

Sauce pimentée

Poulet et légumes

Thi Liên mange avec des baguettes de bois.

Edgar

Edgar Flores a huit ans. Il vit aux Philippines, un pays d'Asie du Sud-Est composé de plus de sept mille îles. La famille d'Edgar habite au bord de la mer, dans un village appelé Villa Rica de Arevalo qui est situé dans l'île de Panay. Son père achète des huîtres à un ostréiculteur local, les ouvre, puis va les revendre aux restaurants. Edgar et son grand frère ouvrent des huîtres, eux aussi, avant et après l'école.

Voici Edwin, l'un des petits frères d'Edgar

RIZIÈRES AUX PHILIPPINES

Dans les îles formant les Philippines, il y a trois saisons : une chaude, une froide, et celle des pluies. C'est un climat idéal pour cultiver le riz, et l'on trouve des rizières (ci-dessus) tout le long des côtes de l'île de Panay. À l'intérieur des terres, il y a de hautes montagnes. Les gens cultivent le riz sur leurs pentes en aménageant des terrasses. Certaines de ces rizières ont plus de deux mille ans.

Eduardo, le père d'Edgar — Mariluz, la mère d'Edgar

Weng Weng

Bap Bap

Edwin

Edgar

UNE MAISON DE BAMBOU

La maison d'Edgar, elle est en bambou, une plante de la région. N'étant pas pleins, les murs permettent le passage du vent qui garde la fraîcheur à l'intérieur. La maison comporte deux pièces, et la chambre est divisée en deux parties égales. Les parents dorment dans l'une et les enfants dans l'autre. Pendant la saison des pluies, il y a parfois de l'eau qui traverse le toit. Alors, les enfants cherchent un coin au sec et prennent des couvertures qui leur tiendront chaud. L'endroit préféré d'Edgar dans la maison, c'est l'appui de fenêtre : il s'y assied pour ouvrir les huîtres.

LA FAMILLE D'EDGAR

Edgar appelle ses parents « Papang » et « Mamang ». Il a trois frères : Bap Bap, qui a douze ans, Edwin, qui en a trois, et Weng Weng, qui est encore bébé. Quand les parents s'absentent, c'est Edgar qui garde Edwin et Weng Weng. Il aide aussi sa maman à la cuisine, et il va chercher l'eau à la pompe voisine.

L'ÉGLISE

La famille d'Edgar est catholique, comme de nombreux Philippins. Dans le village d'Edgar, le prêtre doit s'occuper de deux paroisses en même temps. Les parents d'Edgar vont à l'église du village dès que le prêtre y célèbre un office religieux. Edgar dit qu'après sa mort, son corps ira dans la terre et son âme au paradis.

LA PÊCHE AU FRETIN

Edgar et son frère Bap Bap attrapent, en eau peu profonde, dans des filets retenus à des piquets de bois, de petits poissons tout jeunes, le fretin. Bap Bap les vend aux pisciculteurs qui élèvent les poissons jusqu'à ce qu'ils soient assez gros pour être vendus aux restaurants.

« Plus tard,
je veux me
marier et avoir
des enfants,
mais seulement
des garçons. »

Edgar Flores

« *Mon prénom c'est Edgar, mais mes amis m'appellent " Gargar ". J'ouvre à peu près trois cents huîtres avant d'aller à l'école, et deux cents autres après. Ainsi j'aide mes parents pour m'envoyer à l'école. Je veux être un bon élève pour gagner assez d'argent plus tard. Je pourrai en donner à ma mère pour qu'elle achète du riz. Je serai charpentier : je construirai un bateau pour emmener les gens à Guimaras, l'île où nous habitions avant. Là-bas, il y a des montagnes et des grottes, et on peut cueillir des fruits.* »

Tem-Tem   Edgar   Ta Ta

Nonoy

LES COPAINS D'EDGAR

Ce sont Tem-Tem, Ta Ta et Nonoy. Ils aiment jouer tous ensemble à cache-cache. Le meilleur ami d'Edgar, c'est Ta Ta.

« *J'aimerais bien retourner vivre à Guimaras. Là où on habite maintenant, il y a trop de monde, et la rivière est trop sale pour que l'on puisse s'y baigner. Les ordures, elles devraient être jetées dans une poubelle et pas n'importe où.* »

Voici la leçon d'instruction civique d'Edgar. Il a écrit dans sa langue : « Je suis un Philippin. Mon pays, c'est les Philippines ».

L'ÉCOLE D'EDGAR

Edgar n'a pas longtemps à marcher pour arriver à l'école. Ce qu'il préfère étudier, c'est tout ce qui concerne les Philippines. Il apprend aussi les mathématiques et l'anglais. Edgar et sa famille parlent la langue officielle du pays, le tagalog (le pilipino).

Huîtres et riz

« *Voici mon animal familier : un poulet. Avant, j'avais un chien qui s'appelait Blackie, mais il a disparu. Quand j'avais cinq ans, j'ai été mordu par un chien et maintenant j'ai peur des aboiements. Il y a autre chose qui me fait peur, c'est l'éclair, parce qu'il pourrait me foudroyer. Pendant la saison des pluies, nous avons parfois des typhons. Une fois, on a dû reconstruire notre maison après un terrible orage.* »

LES REPAS D'EDGAR

Au petit déjeuner, Edgar mange des nouilles et du pain. Pour le souper, la famille prend en général les huîtres qui n'ont pas été vendues parce qu'elles étaient trop petites, avec du riz et parfois du poisson frit. Le poisson frit, c'est ce que préfère Edgar : il adore l'odeur du poisson en train de cuire.

DES JOUETS ET DES PÉTARDS

C'est Edgar qui a fait lui-même ce camion avec des boîtes de conserve et de vieux basculeurs électriques. À Noël, les grands font claquer des pétards qui provoquent un feu d'artifice en explosant. Edgar adore les pétards, il trouve qu'il n'y a rien de plus sensationnel.

« Voici les vêtements que je porte la plupart du temps. J'aime bien ce sweat-shirt vert, parce qu'il a un capuchon que je peux me mettre sur la tête quand il pleut. »

Subaedah

Subaedah Daeng Ngona vit à Célèbes, une des îles composant l'Indonésie. Son village s'appelle Polongbangkeng Selatan. Elle pense avoir dix ans, sans en être certaine. Son père élève des buffles, et sa mère fabrique des pots et d'autres objets en terre cuite qu'elle vend. La famille de Subaedah appartient au peuple macassar, originaire du sud de l'île. Les Macassars ont leur propre langue et leurs coutumes. Comme les Bugis, les Mandars et les Torajas, les trois autres peuples de Célèbes.

« Kamaria, ma petite sœur, a six ans. »

UNE MAISON SUR PILOTIS

Subaedah a toujours vécu dans cette maison en bois : pour elle, tout y est beau. Elle est bâtie sur pilotis, comme la plupart des autres maisons de l'île. Huit personnes y vivent : Subaedah, son père, sa mère, son oncle, ses sœurs et son frère. Subaedah aime dormir par terre, elle trouve que c'est très confortable. Sa mère travaille au rez-de-chaussée où elle s'est installé un atelier pour fabriquer des poteries.

En Indonésie, les hommes de religion musulmane portent ce genre de coiffe.

Daeng Rapi, le père de Subaedah

Daeng Nintan, la mère de Subaedah

« Voici Amma. Elle fabrique des pots avec de la terre qu'elle cuit ensuite pour la faire durcir. Parfois, elle fait aussi des chats. Je n'ai jamais essayé de fabriquer un objet en terre : c'est très difficile et ça prend beaucoup de temps. Mais j'aimerais bien essayer un jour. »

Halijah

Rabina

Le sarong est composé d'une longue pièce de tissu. C'est le costume traditionnel à la campagne en Indonésie, pour les hommes comme pour les femmes.

Daeng Rapi et Daeng Nintan portent un sarong, vêtement à la fois ample et léger qui est idéal pour le climat chaud et très lourd de Célèbes.

Cette potiche a été fabriquée par la mère de Subaedah.

Daeng Nintan a décoré la potiche avec des dragons.

LES SŒURS DE SUBAEDAH

Subaedah a deux grandes sœurs, Rabina et Halijah. Rabina a quinze ans, Halijah douze. Subaedah a aussi une petite sœur, Kamaria. Elle dit qu'elle ne se dispute jamais avec ses sœurs.

LES ENFANTS PARTICIPENT

Subaedah appelle ses parents « Amma » et « Tata ». Tous les jours elle aide sa mère. Elle se réveille tôt pour balayer la maison. L'après-midi, après l'école, avec les autres enfants du village, elle va ramasser du bois pour le chauffage. Elle doit marcher longtemps pour trouver du bois. C'est une corvée qui lui prend deux heures environ, et elle trouve que c'est bien dur.

Des hibiscus aux fleurs magnifiques poussent dans le village de Subaedah.

LES RIZIÈRES

Subaedah mange du riz à la plupart des repas. Le riz pousse dans les pays dont le climat est chaud et très pluvieux. On le cultive partout en Asie, dans des champs spéciaux qui sont inondés et que l'on appelle *sawah*. Ce riz paddy est cultivé près du village de Subaedah.

Subaedah se prononce « souou-baï-ay-daa ».

« Amma me met une huile spéciale sur les cheveux pour qu'ils soient beaux et bien brillants. Mais je n'aime pas trop quand ils brillent parce que j'ai peur que mes amies se moquent de moi. »

SUBAeDah

« Voici Yupita, ma meilleure amie. Elle est très gentille et elle partage toujours plein de choses avec moi. »

« *Subaedah, c'est long à dire, alors la plupart des gens m'appellent " Soub ". Mon prénom vient d'une fontaine miraculeuse à La Mecque, ville sainte de l'islam. Plus tard, je veux être médecin parce que les malades me donneront de l'argent, alors je serai riche ! J'aimerais visiter l'Amérique, pour voir des gens qui ont une autre couleur de cheveux : ici tout le monde a les cheveux noirs. Si j'avais le pouvoir de changer quelque chose, je transformerais en gentils tous les méchants.* »

L'école de Subaedah

« Je trouve qu'ici la pire période de l'année, c'est quand il fait chaud et sec. J'ai la peau qui fonce quand il fait chaud, et je préfère avoir une peau claire. »

« Ça, c'est ma leçon de bahasa indonésien. Je ne sais pas écrire le bahasa macassar, qui n'a pas le même alphabet. »

DES LEÇONS ET DES LANGUES
À l'école, Subaedah apprend le bahasa indonésien, la langue nationale ; en famille, elle parle le bahasa macassar. Subaedah trouve que la chose la plus difficile à apprendre, ce sont les mathématiques.

« Parfois quand je joue, je suis méchante, je jette du sable sur mes amies. J'aime bien jouer, mais ce que je préfère le plus, c'est dormir ! »

Subaedah joue à un jeu, qu'elle appelle la « maison », avec ces petits vases que lui a fabriqués sa maman.

Subaedah fait rouler ce pneu en tapant dessus avec un bâton.

LES JEUX PRÉFÉRÉS
Subaedah aime jouer au cerceau avec un pneu et un bâton. Son autre jeu favori est le *gundasi*, qui se joue avec des cailloux. Elle lance un caillou en l'air et, avant de le rattraper, elle ramasse le plus possible d'autres cailloux.

CHATS ET POULETS
Subaedah a un chaton avec lequel elle adore jouer ; la nuit, il dort avec elle. La famille de Subaedah élève aussi des poulets, des canards et une vache. Subaedah aime bien les poulets, surtout sautés à la poêle !

La mangue est l'aliment préféré de Subaedah.

Du riz, un œuf et du poulet

Subaedah porte des chaussures de toile pour aller à l'école, et des tongs à la maison. Aujourd'hui, elle a mis ses plus belles sandales.

LES REPAS DE SUBAEDAH
Subaedah mange principalement du riz, du blé, des œufs, des haricots, du poisson, du poulet et des pommes de terre. Elle n'aime pas la viande de buffle, elle trouve qu'il y a trop de gras.

Ngawaiata

Ngawaiata Evans a neuf ans. Elle vit tout au nord de la Nouvelle-Zélande, dans un village appelé Whatuwhiwhi. Sa mère est maori, et son père est descendant d'immigrés venus du pays de Galles, en Grande-Bretagne. Chez les Maoris, il est de tradition que les enfants soient élevés par leurs grands-parents : Ngawaiata vit donc avec deux de ses cousins chez sa grand-mère, dans une maison au bord de la mer. La plupart des gens du village sont parents de Ngawaiata. Son père et sa mère vivent à Kaitaia, une ville voisine.

« Quand il fait beau, on voit souvent des dauphins dans la baie. Je grimpe dans mon arbre favori et je les regarde depuis mon poste d'observation. Parfois les dauphins sautent hors de l'eau. On les rencontre aussi quand on va pêcher : papa approche alors le bateau pour qu'on puisse les voir de plus près. »

WHAKARARO BAY

La maison de la grand-mère de Ngawaiata donne sur cette plage appelée Whakararo Bay. Quand Ngawaiata ne va pas à l'école, c'est là qu'elle passe le plus clair de son temps avec ses cousins. Ils jouent à cache-cache dans les arbres et les rochers. Parfois ils passent la nuit sur la plage, serrés les uns contre les autres sous une pile de couvertures pour se tenir chaud. Le père de Ngawaiata possède un bateau qu'il laisse sur la plage, et il emmène souvent les enfants à la pêche.

La grand-mère de Ngawaiata a vingt-quatre petits-enfants.

Ngawaiata appelle sa grand-mère « Nanna ».

LA FAMILLE DE NGAWAIATA

Philip, le père de Ngawaiata, travaille dans la compagnie locale d'électricité. Norma, sa mère, gère une organisation d'écoles où l'on enseigne le maori. Ngawaiata a un frère, Ben, qui a seize ans, et une sœur, Kitingawai, qui en a quatorze ; ils sont tous deux pensionnaires, mais Ngawaiata les voit pendant les vacances.

Norma   Philip

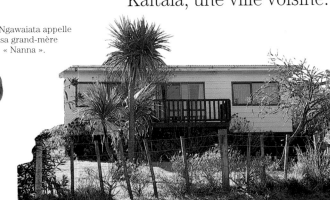

NGAWAIATA CHEZ SA GRAND-MÈRE

La maison de la grand-mère de Ngawaiata est en bois, comme dans la plupart des cas en Nouvelle-Zélande. Cinq personnes y vivent : Ngawaiata, sa grand-mère, son oncle Brad, et ses cousins Tirengee et Nicole. Ngawaiata dort dans la même chambre que Tirengee et Nicole ; elle a d'autres cousins qui viennent passer là les vacances scolaires.

LA MAISON DE PLAGE

Quand ils viennent à Whakararo Bay, les parents de Ngawaiata logent dans cette cabane de plage. Lorsque le grand-père de Ngawaiata est mort, il a légué à chacun de ses enfants une parcelle de terrain destinée à être transmise à leurs propres enfants, et qui ne doit jamais être vendue : on est sûr que le terrain restera dans la famille.

LE TEMPLE LE DIMANCHE

Ngawaiata est de religion anglicane, c'est-à-dire qu'elle observe la religion chrétienne de l'Église d'Angleterre. Tous les dimanches, elle va à l'office dans cette église avec sa grand-mère et ses cousins.

L'ARBRE AUX CACHETTES

Voici l'arbre dans lequel Ngawaiata adore grimper. La nuit, les enfants jouent parfois à cache-cache et emportent chacun une torche. Ngawaiata se cache alors souvent dans cet arbre.

NORTHLAND

Whatuwhiwhi est entouré de collines. La région, appelée Northland, bénéficie d'un climat doux, et le paysage est très vert avec des collines doucement arrondies.

Ngawaiata.

Ngawaiata se prononce « na-waï-a-ta ».

« Avant j'avais les cheveux très longs, je pouvais m'asseoir dessus ! Je les ai fait couper cette année parce qu'ils étaient fourchus. Le coiffeur a donné à ma mère les cheveux coupés, elle les a rangés dans un placard. »

❝ *En maori, Ngawaiata signifie psaume. Dans la famille on m'appelle souvent "Bab" : c'est un diminutif de Baby (bébé), parce que c'est moi la plus jeune. Je suis allée vivre avec Nanna parce que je suis à moitié maorie et c'est une partie de moi que je voulais découvrir. La Nouvelle-Zélande est un beau pays, et j'adore habiter près de la mer. Dans une ville on ne peut pas faire grand-chose, alors qu'ici je ne m'ennuie jamais.* **❞**

— Ngawaiata

« J'ai peur des gros chiens, ils pourraient m'attaquer et me mordre avec leurs dents pointues. J'ai aussi peur des opossums, parce qu'ils ont de grandes griffes. »

LE *KURU* EN PIERRE VERTE

Ce pendentif, appelé *kuru*, appartient à la grand-mère de Ngawaiata. Celle-ci le prête à sa petite-fille pour les grandes occasions. Le *kuru* est en pierre verte, une sorte de jade que l'on trouve en Nouvelle-Zélande.

LES COURS DE MAORI

L'école de Ngawaiata est dirigée par une de ses tantes. Les cours se font en langue maorie, et les enfants apprennent l'histoire et la culture de leur peuple. Les Maoris furent les premiers à s'établir en Nouvelle-Zélande : ils arrivèrent il y a mille ans dans des bateaux en provenance d'autres îles du Pacifique.

« J'ai pas mal de cousins qui viennent passer les vacances scolaires à Whatuwhiwhi. Je ne sais pas exactement combien il y en a actuellement, mais ils sont nombreux en tout cas ! »

Ngawaiata a écrit en maori dans son cahier. La langue maorie utilise le même alphabet que le français, mais certaines lettres n'existent pas, le s par exemple. En maori, wh se prononce f. Whatuwhiwhi, le village de Ngawaiata, se prononce donc « fatoufifi ».

« J'aime lire et étudier le maori. Nous apprenons aussi les mathématiques. Actuellement nous lisons ce livre qui raconte l'histoire d'un homme qui essaie d'attraper le soleil pour l'empêcher de se coucher. Je ne l'ai pas encore fini, et je ne sais donc pas comment cela se termine. »

Ko Māui me te Rā

« Comme il fait chaud ici en général, je porte des shorts la plupart du temps. Quand le temps se rafraîchit la nuit, je mets une couverture chauffante sur mon lit. »

« Si je pouvais exprimer un souhait, j'aimerais bien avoir une grande maison près de mon arbre favori. »

LES ALIMENTS DE LA MER

Ngawaiata et sa famille mangent beaucoup de poissons qu'ils pêchent dans la baie ; sur la plage, ils ramassent des coquillages et des algues. Ngawaiata n'aime pas les moules, qu'elle trouve amères. Elle n'aime pas non plus le potiron, sauf dans la soupe.

Ce poisson s'appelle une daurade. Ngawaiata pêche avec une ligne et un appât.

Poisson pêché dans la baie

Beignets de moules

Scones (sorte de petits pains)

Rosita

Rosita a huit ans et vit en Australie-Occidentale.
Elle est aborigène, c'est-à-dire qu'elle est descendante des
premiers habitants de l'Australie qui s'y établirent il y a
40 000 ans. Il y a aujourd'hui environ 280 000 Aborigènes.
La famille de Rosita habite dans une communauté appelée
Bidyadanga où vivent des membres de cinq groupes
aborigènes différents qui parlent chacun leur propre
langue en plus de l'anglais. La famille de Rosita appartient
au peuple nyangumarta.

BARBECUE SUR LA PLAGE

Bidyadanga étant proche de la mer, Rosita va souvent à
la plage avec sa mère et sa grand-mère. Avec une canne
et une ligne, Rosita pêche du poisson qu'elles font
ensuite cuire sur la plage. C'est Rosita qui va chercher
le bois pour faire le feu : on fait cuire le poisson sur les
braises. Avec le poisson, elles mangent du *damper*, pain
traditionnel australien composé de farine et d'eau.

La grand-mère
de Rosita

Carol, la mère
de Rosita

Rosita appelle sa
mère « Mummy ».

LA FAMILLE DE ROSITA

Rosita vit avec sa grand-mère, sa mère et son petit
frère Dion, qui a cinq ans. Son père est parti dans
une autre région d'Australie. Sa mère est cuisinière
dans une boutique de plats tout prêts-à-emporter.
Dans les communautés aborigènes, il est fréquent
que chacun s'occupe des enfants des autres et les
traite comme les siens. D'ailleurs, Rosita appelle
« cousins » un grand nombre de ses amis.

LA MAISON DE ROSITA

Elle comporte quatre pièces. Rosita dort dans la même
chambre que sa mère, sa grand-mère et son petit frère Dion.
Dans une autre chambre, il y a des lits superposés pour ses
cousins Shannon, Sharon et Leroy. La mère de Rosita
prépare les repas au feu de bois, à l'extérieur de la maison.
Rosita l'aide en sortant les assiettes et les tasses.

« LE BUSH »

Voici la route qui mène à Bidyadanga. La communauté est
située à plus de 180 km de Broome, la grande ville la plus
proche. Les Australiens appellent la campagne « le bush » ;
dans cette région, on trouve d'énormes élevages de bétail
Autour de Bidyadanga, il y a des arbustes et
des herbes qui poussent dans un sol
rouge et sablonneux. Les aborigènes
savent très bien quelles sont les
plantes et les racines sauvages
qu'ils peuvent manger.

*« Parfois, quand
on joue à cache-cache,
je grimpe dans un
arbre et je me cache
dans les branches. »*

Rosita aime dessiner et
colorier. Voici un dessin
qu'elle a fait pour vous
montrer à quoi ressemble
Bidyadanga.

Dion,
le petit frère
de Rosita

« Nous avons une télévision à la maison, mais je n'aime pas trop regarder ; je préfère jouer dehors. »

Un short et un T-shirt sont légers et agréables à porter quand il fait chaud. L'hiver, Rosita met un survêtement et un pull.

Rosita

Jessica

Carla

❝ Quand je serai grande, je veux travailler dans un bureau, à compter des sous. J'aimerais bien visiter Perth, c'est une grande ville au sud. Ma maîtresse, Miss Mitchell, y est allée et nous a tout raconté. Je préférerais quand même qu'il n'y ait pas tous ces grands immeubles, parce que les petits enfants risquent d'en tomber. ❞

« Lorsque Miss Mitchell est allée à Perth, elle m'a rapporté cette trousse marquée à mon nom. »

ROSITA

LES AMIES DE ROSITA
Rosita est ici avec ses amies Jessica et Carla. Leurs jeux préférés sont les parties de cache-cache et le basket-ball.

ROSITA À L'ÉCOLE
Vers huit heures du matin, la cloche annonce qu'il est temps d'entrer en classe. Rosita aime lire, dessiner et faire des additions. Elle déjeune à la cantine ; ce qu'elle préfère dans la cuisine de l'école, ce sont les hot-dogs.

L'école de Rosita

Le cahier d'écriture de Rosita

« Ce trimestre, nous avons parlé du cirque à l'école. Si j'avais un souhait, ce serait d'y aller une fois. »

DES REQUINS ET DES CRABES
Les animaux préférés de Rosita sont les pingouins et les phoques qui vivent au large des côtes. Rosita aime bien ramasser des crabes sur la plage. Elle essaie de les attraper pendant qu'ils se sauvent sur le sable. En revanche, elle a peur des requins. Une fois, elle en a vu tout un groupe qui nageait sous le bateau dans lequel elle se trouvait.

« TUCKER »
Les Australiens appellent souvent leur nourriture « tucker » (mangeaille) ; « bush tucker », c'est la nourriture qui pousse dans le bush. Rosita et sa famille mangent des bulbes, appelés « oignons du bush », des *wangala*, sorte de lézard, ainsi que des oiseaux qu'ils appellent « dindons du bush ». Les plats préférés de Rosita sont la soupe de poulet et un œuf sur du pain grillé.

« Je ne mets jamais de chaussures, comme d'ailleurs tous les enfants ici. Il m'arrive parfois de me faire mal en marchant sur certaines choses, mais c'est assez rare. »

« Il nous arrive d'avoir de terribles cyclones par ici. Ils cassent les arbres, et nous sommes obligés de rester dans la maison jusqu'à ce que l'orage soit passé. »

Ces fruits appelés *gabiny* poussent sur des arbres dans la région de Bidyadanga.

Le *damper*, pain australien

Oignon du bush

Journal de voyage

« *Pour réaliser ce livre, Barnabas et moi avons visité trente et un pays. Dans la plupart des cas, c'est l'Unicef qui organisait les rencontres avec les enfants et leur famille. Nous avions apporté tout le matériel nécessaire pour faire les prises de vues chez chaque enfant, notamment quatre gros projecteurs et quatre appareils photo. Cela faisait un équipement important qui pesait 110 kg. Avant la période de détente de la séance photo, je discutai avec chaque enfant pour mieux le connaître. Je lui demandai de me parler de sa famille, de ses amis, de son école, de ses loisirs et de tout ce qui fait de lui un enfant unique. Ainsi, Barnabas savait exactement ce qu'il devait photographier. Nos voyages nous ont pris plus d'un an et nous ont laissé de grands souvenirs…* »

Anabel

« Celina, la petite Brésilienne de la forêt pluviale d'Amazonie, me raconte tout sur sa vie dans son village, sur sa famille et ses amis, sur ce qu'elle fait à l'école. »

« Celina m'a dit qu'elle dort toujours dans un hamac. »

« L'interview est terminée ; le lendemain, Barnabas photographie Celina, ses amies et sa famille. La plupart des gens du village sont venus assister à la séance. »

« L'interview et la séance de photos sont terminées. Barnabas et moi sommes dans une pirogue qui prend l'eau. »

« Omar aide Barnabas à photographier son équipement de plongée. »

MARS 1994, EN INDE

PANNE D'ÉLECTRICITÉ

« Les projecteurs consomment beaucoup. Sur le chantier où nous avons photographié Meena à Delhi (Inde), le courant a été coupé. On nous a dit qu'il allait être rétabli, mais au bout de quatre heures, il ne l'était toujours pas. Nous avons photographié Meena en extérieur. Nous avons alors réalisé combien nous avons de la chance d'avoir toujours de l'électricité et de l'eau courante chez nous. »

AVRIL 1994 EN ÉTHIOPIE

ÉMUS JUSQU'AUX LARMES

« L'un des moments les plus émouvants de nos voyages a été notre rencontre avec Abebech Gobena, qui a fondé et anime un orphelinat en Éthiopie. En voyant tout l'amour et tous les soins qu'elle donne à Tadesse et aux autres enfants, Barnabas et moi avons eu les larmes aux yeux. »

JUILLET 1994 EN THAÏLANDE

MALADRESSE EN THAÏLANDE

« Parfois, nous devions nous rappeler que nos gestes risquaient d'être mal interprétés. Par exemple, j'avais du mal à m'empêcher d'embrasser les enfants avec lesquels nous nous étions liés d'amitié. Quand j'ai voulu serrer dans mes bras Suchart, le petit novice, il s'est dégagé. Un moine thaï n'a pas le droit d'être si près d'une femme ! Suchart adorait la photographie et a aidé Barnabas. »

« Problèmes mécaniques sur une route de Bolivie. »

« La rencontre avec Bogna et sa famille. »

« Barnabas en train de photographier Erdene devant son ger, en Mongolie. »

« Rencontre avec Subaedah, la petite Indonésienne. »

« Ces enfants de Thaïlande se regroupent pour une séance photo. »

« Zofia, la sœur de Bogna, essaie un appareil photo. »

JUILLET 1994 AU VIÊT-NAM

PROBLÈMES SOUS LES TROPIQUES

« À cause d'un problème d'alimentation électrique, nous avons dû emmener Thi Liên et sa famille jusqu'à notre hôtel à plusieurs kilomètres de chez eux. Pendant leur absence, des pluies tropicales ont emporté toutes les routes qui menaient à leur maison. Même notre 4 × 4 ne pouvait plus passer, et toute la famille a dû dormir au village le plus proche. Thi Liên était contente que ce voyage se termine : c'était la première fois qu'elle montait en voiture et elle a été très malade ! »

SEPTEMBRE 1994 AU BRÉSIL

AVENTURE EN AMAZONIE

« Notre matériel photographique était bien encombrant, surtout le jour où nous avons dû traverser une rivière pleine de piranhas et d'alligators dans une pirogue qui prenait l'eau. Au cours de notre visite au village, nous avons participé aux danses de la tribu avec les habitants et nous nous sommes baignés avec Celina dans la rivière et la nuit, nous avons dormi dans des hamacs. »

OCTOBRE 1994 AU MEXIQUE

UN SOUVENIR DU MEXIQUE

« En arrivant au Mexique, notre magnétophone n'enregistrait plus correctement. Mais comme on pouvait encore écouter des cassettes, nous l'avons donné à Omar. Il a été si touché qu'il a voulu à son tour nous faire un cadeau. Il est parti en courant pour revenir avec cinq de ses petites voitures préférées, et nous en a fait choisir une. Nous ne pouvions qu'accepter, sinon nous l'aurions froissé. »

NOVEMBRE 1994 EN EXTRÊME-ORIENT

SCORPIONS ET LAIT DE JUMENT

« Nous n'oublierons pas certains plats : des scorpions frits en Chine, ou le lait fermenté d'une jument d'un an, marque d'une grande considération en Mongolie. »

DÉCEMBRE 1994 EN JORDANIE

OÙ SONT LES NOMADES ?

« Nous avions très envie de parler des nomades (des gens qui ne vivent pas toujours au même endroit). L'Unicef a donc organisé une rencontre avec une famille de Bédouins. Mais il y a eu une grosse chute de neige et la famille a plié bagages et a disparu sans laisser de traces. »

JANVIER 1995 EN LAPONIE

LE PAYS DES CRÉPUSCULES

« Ce n'est pas commode de prendre des photos en Laponie à la fin janvier : à cette époque, le jour ressemble à un crépuscule et ne dure que deux heures. Si nous étions arrivés quelques semaines plus tôt, nous aurions eu droit à la nuit continue ! Ari, le petit Sâme que nous avons photographié, m'a donné des bottes en peau de renne trop petites pour lui ; mais elles m'allaient très bien, à moi, et me tenaient bien chaud alors qu'il faisait très froid ! »

JANVIER 1995 EN POLOGNE

UN RÉCONFORT POUR MEENA

« Quand nous sommes allés en Pologne, nous avions déjà fait plusieurs voyages et nous avions des éléments du livre à montrer aux enfants. Quand Bogna a lu les pages concernant Meena, la petite Indienne, elle lui a trouvé l'air triste ; elle voulait lui envoyer quelques-uns de ses jouets. »

FÉVRIER 1995 AU CANADA

LES CILS COLLÉS

« Pour réaliser ce livre, nous avons connu tous les climats, y compris les orages tropicaux, les déserts brûlants et les pluies torrentielles. Au Canada, là où vivent les Inuits dans les territoires reculés du Nord-Ouest, la température est descendue à – 38 °C. Il faisait si froid que la barbe de Barnabas a gelé et que mes cils se sont collés ! »

« Notre amie Lydia de la tribu massaï. »

« Barnabas photographie une racine de maniva. »

« Cet avion de treize places va nous emmener de Camiri à Santa Cruz (Bolivie). »

« À Pékin, en Chine, j'écoute attentivement Guo Shuang. »

A
Aborigène 76
Accra 35, 38
Achacachi 11
Acoma Pueblo 18
Addis-Abeba 35, 44
Afrique 34-45
Agra 47
Alaska 8, 22
Alpes 24, 25
Alphabets
- amharique 45
- arabe 41, 63
- chinois 49
- coréen 54, 55
- cyrillique 30, 51
- devanagari 57
- grec 33
- hébreu 61
- japonais 53
- mongol 51
- pali 69
Altiplano 10
Amazone 8, 14
Amazonie 8, 14, 78, 79
Amériques 8-23
Andes, les 8
Animaux favoris
- chaton 73
- chats 21, 57
- cheval (Ceniza)13
- chèvre (Amu) 59
- chien (Muku-Muku) 52
- lapin 11
- phoques 77
- pingouins 77
- porcelet 66
- poulet 71
- tortue 16
Arctique (océan, pôle) 8, 23
Arizona 8, 18
Asie 46-63
Asie du Sud-est 64-73
Australasie 74-79
Ayers Rock 65
Ayuthia 68, 69

BCD
Bali 64, 65
Batik 66, 67
Bédouins 62, 79
Belém 14
Bethel 22
Bidyadanga 76
Bol à aumônes 69
Bolchoï de Moscou 25
Bonze 68, 69
Bordelais 25, 32
Bouddha 50, 68, 69
Broome 76
Budapest 27
«Bush» 76
Cancún 16
Cap Horn 8
Carnaval de Rio 9
Chah Djahan 47
Château Peybonhomme 32
Cité interdite 48
Congo 34, 35
Crète, la 24, 25, 33
Danube 27
Dao 66
Delhi 46, 56, 78
- New Delhi 56
- Old Delhi 56
Désert de Thar 56
Disneyland 23
Dôme du rocher 60
Dynastie Ming 48

E
École russe de danse

classique 30
Église du Saint-Sépulcre 6
Égypte 34
Éléphant 35, 42
Eskimos
- Yupik 22
- Inuits 23, 79
États
- de Para 14
- du Nouveau-Mexique 18
- du Rajasthan 56
- Tamil Nadu 46, 58
Europe 24-33
Everest 46

FGHI
Festival des Enfants 52
Golfe du Mexique 16
Grand Nord canadien 9
Grande Muraille de Chine 48
Grandes Plaines 21
Guilin 46
Guimaras 71
Hadj 47
Himalaya 46
Hivs 50
Hollywood 19
Honshu 46
Illinois 9, 21
Indiens 8
- Acoma 18
- Aymara 10
- Incas 9
- Mayas 9
- Tembé 14, 15
Indonésie 46
Iqaluit 23

J
Jérusalem 60
Jeux et jouets
- à la «maison» 48, 73
- autobus miniature11
- ballon 36
- basket-ball 77
- bicyclette 13
- cache-cache 71, 74, 76, 77
- cerceau 13
- chien en peluche Partros 31
- chien Misza 29
- dinosaure 20, 53
- football 69
- *gundasi* 73
- hockey sur glace 23
- «invitées» 62
- *jae gi* 55
- ordinateur 18
- ours tricoté 45
- patin à roulettes 21
- petit cheval en plastique 19
- ping-pong 51
- poupée 32, 39
- robots 54
- *shagai* 51
- *truyen* 66
- voiture
- miniature 13
- téléguidée 22

KL
Kaamos 26
Kaitaia 74
Kalahari 37
Khaniá 33
Kiddush 60
Kilimandjaro 42
Kremlin 30
Kuru 75
Langues
- amharique 44, 45
- aymara 11
- bahasa

- indonésien 73
- macassar 73
- chinois 49
- dao 66
- hindi 57
- inuktitut 23
- keresan 18
- maori 74, 75
- massaï 43
- mongol 51
- népalais 46
- pali 69
- polonais 29
- rajasthanais 56
- sâme 26
- sengologa 37
- swahili 43
- tagalog 71
- tamoul 59
- tembé 14, 15
- thaï 69
- tswana 37
- vietnamien 67
- yu'pik 22
La Paz 10
Laponie 26, 79
Le Caire 35, 36
Los Angeles 19
Louis II de Bavière 25

M
Macassars 72
Machu Pichu 9
Mahatma Gandhi 59
Maison
- château 32
- dans un immeuble 27, 30, 38, 54, 60
- dans une case 68
- de boue et de bouse séchées 37, 42, 56
- de pierre 62
- en bambou 70
- en bois 21, 22, 23, 28, 52, 65, 72, 74
- en briques 12, 26, 48
- en briques de boue 14
- en pisé 18
- *enyang'* 42, 43
- maison marocaine 40
- orphelinat 44
- pueblo 9
- tente ou *bayt ash-sha'ar* 62
- yourte ou *ger* 50, 79
Manhattan 20
Maori 74
Masalpur 56
Massaï 42, 43, 79
Matim 15
Mecque, la 46, 47, 72
Médina 40
Méditerranée 24
Mer des Antilles 16
Mesa 18
Midwest 21
Milford Sound 65
Millésime 32
Moghols 56
Mongolie 50, 79
Monts
- Aconcagua 10
- Everest 46
- Fuji 47
Monument Valley 8
Morris 21
Moscou 24, 25, 30, 31
Moyen-Orient 62
Mumtaz Mahall 47
Mur des Lamentations 60

N
Neuschwanstein 25

New York 9, 20, 22
Nil 34
Northland 74
Nourriture
- *agutak* 22
- *alu* 57
- *banku* 39
- *blini* 30
- *boortsog* 51
- *burekas* 61
- *bush tucker* 77
- canard 32
- *chana* 57
- *chorizo* 13
- crêpes au chocolat 27
- *dabo* 44
- *damper* 76
- «dindon du bush» 77
- *engurma* 43
- *falafels* 61
- frites 23
- *gabiny* 77
- *galleta criolla* 13
- *gobhi* 57
- goulasch 27
- hot-dog 77
- huîtres 71
- *khobz* 63
- *kimchi* 55
- *kouchari* 36
- mangue 73
- *maniva* 15, 79
- *mantou* 48
- *maté* 12
- *milanesas* 13
- *mochi* 53
- nouilles 71
- «oignons du bush» 77
- *pho* 67
- *pita* 33, 61
- pizza 18, 19, 22, 61
- poisson frit 71, 75, 76
- poisson-riz sauce masala 59
- poulet 73
- poulet-frites 41
- riz 11, 37, 48, 52, 54, 65, 66, 70, 71, 72, 73
- *roti* 57
- *salsa* 17
- *sashimi* 53
- saumon 26
- *scones* 75
- *shorba* 44
- *shurba* 63
- *soba* 53
- soupe
- à la tomate 29
- aux nouilles 11
- de poulet 77
- *souvlaki* 33
- spaghetti au beurre fondu 21
- *tacos* 17
- tajine 41
- *tang su yuk* 54
- tortillas 16, 17
- *tucker* 77
- *tuna* 53
- *twenjang chi-gay* 55
- viande de renne 26
- *wangala* 77
- *xibe* 63
Nyangumarta 76

OPR
Océans
- Atlantique 24, 35
- Indien 64
- Pacifique 64, 65
Ogawa 52
Oued 62
Oural 24

«Outback» 65
Pakistan 56
Pampa 12
Parka 23
Pékin 47, 48
Père la gelée 31
Perth 77
Phoenix 18
Pionniers (les Jeunes) 49
Polongbangkeng Selatan 72
Prague 24, 25
Pygmées 35
Pyramide des Niches 9
Pyrénées, les 24, 25
Rabat 40
Rajasthan 55
Ramayana 65
Ratchaburi 69
Rio de Janeiro 9
Rio Guama 14
Rocheuses, les 8
Royal Ballet de Londres 25
Russie 22, 24, 46

S
Sabbat 60, 61
Sahara 34
Salé 40
Sâmes 26, 79
San Francisco 9
Sanya Station 42
São Pedro 14
Savane 35
Scandinavie 24
Séoul 47, 54
Sergelen 50
Shiva 56
Sibérie 22, 46
Singapour 64
Souhaits
- aller
- à Disneyland 23
- à Londres 38
- à New York 22
- à Perth 77
- à Tokyo 18
- au cirque 71
- aux États-Unis 53, 73
- en Australie 54
- en Égypte 18
- en Grèce 27
- conduire une voiture 51
- artiste 19
- avocat 21
- avoir un animal à moi 27
- caissière 21
- changer le monde 17
- charpentier 71
- chevaucher un dinosaure 53
- eau propre 59
- électricien et voyageur 13
- enseigner l'arabe 41
- faire l'Académie de marine 33
- faire de la politique 55
- footballeur 11
- hockeyeur 23, 26
- infirmière 37, 74
- informaticien 17
- ingénieur
- agronome 66
- en électronique 61
- institutrice 27, 63
- joueur de baseball ou inventeur 18
- la paix 18, 41, 45
- le bonheur pour tous les enfants 63
- mannequin ou chanteuse 32
- médecin 39, 45, 73
- moine 68
- nager avec les dauphins 32

- plus de crimes 54
- policier 22
- pompier 20
- préserver la nature 61
- professeur 43
- de biologie 29
- de travaux manuels 49
- en électronique 61
- retourner au village 57
- rivières poissonneuses 26
- tout moins cher 59
- travailler dans un bureau 77
- un monde plus propre 21
- une grande maison 75
- vétérinaire 26
- voyager
- dans l'espace 55
- pour rencontrer des enfants du monde entier 29
Sphinx, le 34

TU
Tadj Mahall 47
Tahiti 65
Taïga 24
Tam 66
Tamil Nadu 58
Tamouls 58
Tandil 12
Taybeh 62
Tchaïkovski 31
Terre de Baffin 8, 23
Tigre 46, 56
Tirupathi 59
Titicaca, lac 10
Tokyo 46, 47, 52
Torah 60
Tsaluu 50
Tshabong 37
Tuk-tuk 64
Uluru 65
Unicef 5, 78, 79
Urucum 15
Utsjoki 26

VWY
Varsovie 28
Vêtements & coiffures
- *alpartagas* 13
- babouches 40
- *bombacho* 12, 13
- bus 51
- caftan 40
- *chappals* 58
- *deel* 51
- *dreadlocks* 20
- *faja* 13
- *farwa* 62
- *hanbok* 55
- *hang pen* 67
- *hatta* 62
- *janjin malgai* 51
- *kippa* 60, 61
- *lamchu* 67
- *lehnga* 56
- *lluchu* 11
- *manuka* 42
- *mongol gital* 51
- *odhni* 56
- *ojotas* 11
- *pollera* 10
- *rubeka* 42, 43
- *sari* 58
- *sarong* 72
- *tongs* 57
- *tsitsit* 61
Villa Rica de Arevalo 70
Wat Tanot 68
Whakararo Bay 74
Whatuwhiwhi 74, 75
Yucatán 16

Remerciements
Barnabas et Anabel aimeraient remercier :
Tous les enfants et leurs parents qui ont participé à ce livre, toute l'équipe de l'Unicef, en particulier Robert Smith; tous les comités nationaux de l'Unicef dans les pays que nous avons visités ainsi que les personnes qui travaillent avec eux, spécialement : Gaye Phillips (Australie); Gema Báez, Alan Court, José Soto (Bolivie); Sheila Tacon, An Snoeks (Botswana); Angela Alvarez Matheus, Christèle Angeneau, Karin Hulshof, Agop Kayayan (Brésil); Lisa Wolff (Canada); Farid Rahman (Chine); Amel Gamal (Égypte); Mark Thomas (Éthiopie); Gisèle Chaboz (France); Ilias Liberis, Kiriakos Vassilomanolakis (Grèce); Édit Kecskeméti (Hongrie); Anthony Kennedy, Madé Sutama, Rihana Bakri (Indonésie); Avraham Lavine, Ruth Ogdan (Israël); Kazushi Matsuda (Japon); Jalal Al Azzeh (Jordanie); Mario Acha, Rafael Enríquez, Jorge Jara, Norma Salazar Rivera and DIF, (Mexique); Katherine Hinton, Sergio Soro (Maroc); Tim Sutton (Nouvelle-Zélande); Keshab Mathema, «Butz», Tin Tin (Philippines); Malgorzata Mularczyk (Pologne); Park Dong-Eun, Park Soon (Corée-du-Sud); Rozanne Chorlton, Mr. Mawi (Tanzanie); Norbert Engel (Thaïlande); June Kunugi (Viêt-nam).

Merci aussi à : l'orphelinat de Abebech Gobena; All China Women's Federation (Wang Wei); DK Inc (Nancy Lieberman, Mary-Ann Lynch, Jeanette Mall); DK Moscou (Elena Konovalova); Darlington School, Sydney; Dong Fang Primary School, China; Editorial Atlantida (Veronica and Alfredo Vercelli, Marisa Tonezzer, the Pereyra Iraola family); Okalik Eegeesiak; Helsinki Media (Helena Raulos); Sari Inkinen; Jubilee School, Jordan; Kendriya Vidyalaya School, Delhi; Kiryat Anavim Kibbutz, Jerusalem; Maori Women's Welfare League (Areta Koopu); Narayanan; National Native News, Alaska (d'Anne Hamilton); National Centre for Children, Mongolia (Sunjidmaa Altankhuyag); Nev e Shalom (The Peace School), Jerusalem (Coral Aron); Shobita Punja, Bikram Grewal, Brinda Singh, et le Mobile Crèche, Delhi; Alison Pritchard et La Grange School, Western Australia; Pukinmäki Elementary School, Helsinki; Prema Rajan; Fabienne Reverdit; National Classical Dance School, Moscow; St. Michael's Montessori School (NYC); Shinnam Primary School, Korea; Helena Svojsikova, DK; Peter Tamakloe; Vallaeys School, Blaye; Waitangirua Intermediate School, Wellington. Dorling Kindersley aimerait aussi remercier : Christiane Gunzi pour ses conseils éditoriaux, Jane Parker, Shalini Dewan et Vicky Haeri de l'Unicef à New York.

Iconographie
L'éditeur remercie les personnes qui lui ont permis de publier les photographies suivantes :
(h : haut, b : bas, d : droite, g : gauche, c : centre)

Michael Copsey 10cgh, 10cg, 11hd, 49cg, 56hg, 56cdh, 67hd/Robert Harding Picture Library Scott B. Smith 16hg - Robert Frerck 11hg, cgh - Richard Ashworth 26cg - Tony Waltham 26c - Robert Francis 26cd, 27cgh - Christopher Rennie 27hd, 49cdh - Mohamed Amin 49cd, 67cg/The Hutchison Library Errington 37cgh/Pictor 27hg, c/Still Pictures 36hg - Edward Parker 36cd/Tony Stone Images Colin Prior 10cdh - Tom Till 11c - Ary Diesendruck 11cd - Nicholas Parfitt 37c, cdh - Nicholas Devore 48cg - Robert Everts 48cd, 49cgh - Daniel J. Cox 66cg - Robin Smith 66c - Jerry Alexander 66cd - David Austen 67hg - David Hiser 67cdh - Paul Chesley 67cd/World Pictures 10cg

Tout a été fait pour retrouver les détenteurs des copyrights. Nous nous excusons pour les omissions involontaires et serons heureux d'inclure tout renseignement complémentaire ou correction dans la prochaine édition de cet ouvrage.

Author:
Rupert Matthews was born in Surrey,
England, in 1961. He was educated at his local
Grammar School and has made a lifelong study of
history. He has written over 150 books since
becoming a full-time writer.

Artist:
Mark Bergin was born in Hastings, England,
in 1961. He studied at Eastbourne College of Art
and specialises in historical reconstructions,
aviation, and maritime subjects. He lives in
Bexhill-on-Sea with his wife and children.

Series creator:
David Salariya was born in Dundee, Scotland.
He has illustrated a wide range of books and has
created and designed many new series for
publishers in the UK and overseas. In 1989 he
established The Salariya Book Company. He lives
in Brighton, England, with his wife, illustrator
Shirley Willis, and their son Jonathan.

Editor: **Tanya Kant**

Editorial assistant: **Mark Williams**

Visit our website at **www.book-house.com**
or go to **www.salariya.com** for **free** electronic versions of:
You Wouldn't Want to be an Egyptian Mummy!
You Wouldn't Want to be a Roman Gladiator!
Avoid Joining Shackleton's Polar Expedition!
Avoid Sailing on a 19th-Century Whaling Ship!

Published in Great Britain in MMX by
Book House, an imprint of
The Salariya Book Company Ltd
25 Marlborough Place, Brighton BN1 1UB
www.salariya.com
www.book-house.co.uk

HB ISBN-13: 978-1-906714-19-2
PB ISBN-13: 978-1-906714-20-8

$SALARIYA$

1 3 5 7 9 8 6 4 2

A CIP catalogue record for this book is available
from the British Library.

Printed and bound in China.
Printed on paper from sustainable sources.

PAPER FROM
SUSTAINABLE
FORESTS